D0412437

Exerçons-nous

Orthographe
de A à Z

350 règles, exercices, dictées

Colette BERTHELIN
Professeur de Lettres
Correctrice (Imprimerie Nationale)

Francis YAICHE
Directeur adjoint du BELC
Chargé d'études au CIEP

MIC LIBRARY
WITHDRAWN FROM STOCK

HACHETTE
26 rue des Fossés-Saint-Jacques
75005 PARIS

27579

Collection «Exerçons-nous»

Titre paru :

- GRAMMAIRE 350 exercices (de niveau moyen), par Delatour, Jennepin, Léon-Dufour, Mattlé, Teyssier (Professeurs à la Sorbonne).

À paraître :

- GRAMMAIRE 350 exercices (pour débutants), par Bady, Greaves, Petetin (Professeurs à la Sorbonne).

- GRAMMAIRE 350 exercices (de niveau avancé), par Beaujeu, Carlier, Mimran, Torrès, Vrillaud-Meunier (Professeurs à la Sorbonne).

Coláiste
Mhuire Gan Smal
Luimneach
Class No.
Acc. No. 105332
BER
MIC LIBRARY
WITHDRAWN FROM STOCK

Maquette de couverture : Version Originale

ISBN : 2.01.015657.9
© HACHETTE 1990, 79 boulevard Saint-Germain, F 75006 Paris

Avant-propos

L'orthographe, de A à Z

Il y a de multiples façons d'aborder l'orthographe française : grammaticale, linguistique, thématique, analogique, etc. Toutes sont évidemment pertinentes selon les objectifs poursuivis (réflexion sur les structures, sur l'évolution des mots) et selon le public auquel on s'adresse : élèves, ou étudiants, de français langue maternelle ou de français langue étrangère.

Le classement alphabétique, qui n'est pas nouveau par ailleurs, répond à des objectifs de clarté, de simplicité, et de facilité de consultation, car il est destiné à un public qui risquerait de ne pas se retrouver dans le maquis de l'orthographe et de la grammaire françaises.

À quels publics est destiné ce livre ?

Ce livre est principalement destiné :
. À tous ceux qui étudient le français langue étrangère et qui, étant parvenus à une bonne compétence orale et écrite, souhaitent se perfectionner en orthographe : domaine peu abordé dans les cours de F.L.E., faute de temps dans les premières années d'apprentissage où l'orthographe n'est pas un objectif prioritaire, puis faute de manuels appropriés dans les années suivantes.
Ce livre permet donc à l'élève ou à l'étudiant de s'initier de façon mesurée et à son rythme à une orthographe qui, pour être élémentaire, n'en est pas moins difficile, et cela sans entrer dans les subtilités décourageantes que d'ailleurs peu de Français maîtrisent. Il apporte aussi des réponses précises aux questions qui peuvent se poser dans le cadre du cours ou dans les circonstances de la vie privée : écriture de cartes postales, rédaction de comptes rendus, etc.

. Aux enseignants de français langue étrangère soucieux d'aborder en classe cette discipline ardue - véritable talon d'Achille - sans pour autant recourir à des notions avancées de grammaire. Suivant les classes où ils enseignent, ils auront la possibilité de graduer les difficultés (toutes les règles et tous les exercices n'étant pas de même niveau), et donc de pratiquer, pour l'orthographe, une réelle pédagogie différenciée.

Objectifs et principes d'organisation

. Permettre un accès rapide à l'information recherchée, une consultation facile et pratique; d'où le choix de ne pas faire figurer des règles rares, des exceptions, des mots obsolètes ou spécialisés.

. Éclairer certains points essentiels de l'orthographe, sans entrer dans les arcanes des innombrables pièges et finesses, mais en offrant une palette de plus de 150 règles, énoncées simplement, débarrassées au maximum de leur terminologie grammaticale et assorties de systèmes mnémotechniques (voire de «trucs») destinés à faciliter la compréhension et la mémorisation. Ces règles, accompagnées d'exemples nombreux, se centrent davantage sur l'usage que sur des questions de grammaire.

. Faire mettre en application les règles étudiées, à partir d'exercices et de jeux de difficulté, de longueur, de tonalité et de consignes suffisamment variées pour éviter la monotonie et le découragement dus aux effets de répétition.

. Faciliter le travail en classe ou en autonomie - seul chez soi - en fournissant des corrigés complets aux exercices proposés dans un livret d'accompagnement.

. Proposer en annexe de l'ouvrage un lexique des mots d'usage courant et de difficulté moyenne - plus de 2 500 - constituant de la sorte une petite base de données orthographiques à laquelle l'étudiant aura le loisir d'ajouter ses propres découvertes.

. Offrir dix-huit textes, susceptibles d'être lus et dictés, et dans lesquels sont rassemblées les difficultés abordées dans chacune des lettres. Textes longs ou textes courts, textes aisés au début puis plus difficiles vers la fin, ils s'efforcent, tout en restant plaisants, de présenter quelques aspects de la civilisation française qui pourraient être utiles à un étranger en visite en France.

Grâce à...

... un ouvrage en quatre parties, suivant chacune l'ordre alphabétique :
- règles (plus de 160)
- exercices et jeux
- dictées
- lexique, suivi de tables de conjugaison.

RÈGLES

A/À

▶ Quand on peut remplacer *a* par *avait*, il ne prend jamais d'accent : il s'agit du verbe avoir.

Pierre a un livre (Pierre avait un livre).

▶ Quand on ne peut pas remplacer *a* par *avait*, il prend toujours un accent grave : il s'agit d'une préposition.

Pierre va à Paris.

ACCENTS

▶ Il existe trois accents en français :

—L'accent aigu ferme la voyelle et ne porte que sur e.

Le café, l'été, le téléphone.

—L'accent grave ouvre la voyelle et porte sur *a, e, u.*

À, la mère, où.

—L'accent circonflexe accentue l'ouverture de la voyelle et porte sur *a, e, i, o, u.*

Le bâton, la fenêtre, la chaîne, l'hôtel, le goût.

▶ Les accents grave et circonflexe permettent aussi de distinguer deux mots d'orthographes proches mais de sens différents.

Il a mal à la main.
Dès que nous partirons, nous mangerons des bonbons.
Sa tâche est d'enlever les taches de sa robe.
J'ai dû sortir pour acheter du pain.

ACCORD DES ADJECTIFS

▶ L'adjectif qualificatif s'accorde en genre (féminin, masculin) et en nombre (singulier, pluriel) avec le nom auquel il se rapporte. Pour former le féminin on ajoute généralement un e au masculin (voir à ce sujet la rubrique *féminin des adjectifs* à la lettre *F*); pour former le pluriel on ajoute généralement un *s* au singulier.

> Une jolie fleur (fém. sing.) ; des petites filles (fém. plur.); des maisons immenses (fém. plur.) ;
> un chat amusant (masc. sing.) ; un petit garçon (masc. sing.); des volets hauts (masc. plur.) ;

⚠ **Attention !** *Bien, mal, chic, snob* sont invariables, qu'ils soient employés comme adjectifs ou comme adverbes :

> Des gens bien (adj. invar.).
> Ils font bien (adv. invar.).
> Elles se sentent bien (adj. invar.).
> Elles ne sont pas mal (locution adverbiale invar.).
> Des affaires qui tombent mal (adv. invar.).
> Ils sont mal vus (adv. invar.).
> Une remarque mal venue (adv. invar.).
> Des choses mal (adj. invar. ; langage parlé).
> Elles sont mal habillées (adj. invar.).
> Ce sont de chic filles, pas snob du tout (adj. invar.).

> *Exceptions* : *Bon an, mal an ; bon gré, mal gré ; la male mort.*

▶ Quand ils sont employés comme adverbes, les adjectifs sont invariables ; ils modifient alors le sens du verbe.

> Ils sont forts (adj. se rapportant au pronom "ils").
> Ils parlent fort (adv. se rapportant au verbe "parlent").
> Des lois justes (adj. se rapportant au nom "lois").
> Ils visent juste (adv. se rapportant au verbe "visent").

▶ Quand un adjectif qualifie plusieurs noms de genres différents, il se met au masculin-pluriel. (L'on dit alors que c'est le masculin qui l'emporte, et que deux singuliers valent un pluriel).

> Une jupe (fém.) et un gilet (masc.) étroits (masc. plur.).

⚠ **Attention!** Lorsqu'un adjectif ne désigne qu'un seul objet mais appartient à une suite d'adjectifs se rapportant à un même nom, il se met au singulier alors que le nom est au pluriel.

> Les langues grecque et latine.
> Les dix-neuvième et vingtième siècles.

▶ Les adjectifs en *al* ont généralement leur pluriel en *aux*, (voir *al*).

▶ Les adjectifs en *eau* ont leur pluriel en *eaux*.

> Beau, beaux ; nouveau, nouveaux.

⚠ Attention ! Beau devient bel devant un nom commençant par une voyelle.

> Un bel homme, mon bel ami.

► Les adjectifs terminés par *s* ou *x* au masculin singulier restent inchangés au masculin pluriel, et font *ces* ou *ses* au féminin pluriel.

> Un exposé confus, des exposés confus, des notes confuses ; un style concis, des styles concis, des déclarations concises ; un garçon doux et gracieux, des garçons doux et gracieux, des filles douces et gracieuses.

ACCORD DES ADJECTIFS DE COULEUR

► Voir *couleur*.

ACCORD DES PARTICIPES PASSÉS

► Voir *participe passé* (accord).

ADVERBES EN -EMENT -MENT -MMENT

► La plus grande partie des adverbes - environ 4 000 - se forme en ajoutant *ment* au féminin de l'adjectif qualificatif dont ils sont issus.

certain	certaine	certainement
dur	dure	durement
fier	fière	fièrement
franc	fraîche	franchement
gai	gaie	gaiement
léger	légère	légèrement
nouveau	nouvelle	nouvellement
agréable		agréablement
large		largement
terrible		terriblement

> **Exceptions** : *Environ 5 % des adverbes seulement - soit environ 200 - se forment en ajoutant* ment *au masculin de l'adjectif qualificatif ou du participe passé dont ils sont issus.*

absolu	absolument
assuré	assurément
assidu	assidûment
décidé	décidément
éperdu	éperdument
gentil	gentiment (chute du "l")
indéfini	indéfiniment
instantané	instantanément
joli	joliment
passionné	passionnément
résolu	résolument

! Attention!

► 1 - Certains adverbes en - *ument* prennent un accent circonflexe sur le *u*. C'est le cas notamment de : *assidûment, continûment, crûment, drûment, goulûment, (in)congrûment, (in)dûment.*

► 2 - Les adverbes qui dérivent d'un adjectif ou d'un participe présent en *-ent* ou en *-ant* prennent deux *m* :

apparent	apparemment	abondant	abondamment
ardent	ardemment	brillant	brillamment
concurrent	concurremment	constant	constamment
conscient	consciemment	courant	couramment
différent	différemment	élégant	élégamment
évident	évidemment	étonnant	étonnamment
fréquent	fréquemment	incessant	incessamment
impatient	impatiemment	insuffisant	insuffisamment
imprudent	imprudemment	méchant	méchamment
incident	incidemment	savant	savamment
inconscient	inconsciemment		
innocent	innocemment		
intelligent	intelligemment		
négligent	négligemment		
patient	patiemment		
précédent	précédemment		
prudent	prudemment		
violent	violemment		

—Tous ces adverbes se prononcent *aman* malgré le *e*.

Pour déterminer la voyelle *a* ou *e* de l'adverbe il suffit donc de se reporter à l'adjectif dont il est issu.

► Voir aussi *invariable*.

AF- / AFF- (les mots commençant par)

► Les mots commençant par *af* prennent deux *f*.

L'affaire, l'affiche, affirmer, l'affluent, affranchir, affronter.
Exceptions : *Afin, l'Afrique, l'Africain.*

AG- / AGG- (les verbes commençant par)

► Les verbes commençant par *ag* prennent un *g*.

Agacer, agencer, agir, agiter, agrafer, agrandir, agrémenter, agresser, agripper.
Exceptions : *Agglomérer, agglutiner, aggraver.*

-AI / -AIE (les noms terminés par)

► Les noms masculins formés à partir d'un verbe en *ayer* se terminent par *ai*

balayer	un balai
essayer	un essai
étayer	un étai
délayer	un délai

▶ Les noms féminins formés à partir d'un verbe en *ayer** se terminent par *aie*.

payer	une paie
rayer	une raie
pagayer	une pagaie

▶ Les noms féminins en **è** *[ɛ]* ont leur terminaison en *aie*

La baie, la châtaigneraie, la futaie, la haie, la plaie, la taie.

Exceptions : La forêt, la paix

Note : *Ce verbe avait en ancien français le sens de "remettre à plus tard" et ne doit pas être confondu avec le délayer moderne qui signifie "diluer".

AI/AIE/AIES/AIT/AIENT (formes verbales)

▶ Pour ne pas confondre le présent de l'indicatif du verbe avoir conjugué à la première personne du singulier *j'ai* et les formes du présent du subjonctif *que j'aie* ; *que tu aies* ; *qu'il ait* ; *qu'ils aient*, il suffit de remplacer le sujet du verbe par le pronom nous. Si la forme verbale devient *nous avons*, il s'agit du présent de l'indicatif ; *[ɛ]* s'écrit donc *-ai*. Si la forme verbale devient *nous ayons*, il s'agit du présent du subjonctif ; *[ɛ]* s'écrit alors suivant la personne : *que j'aie, que tu aies, qu'il / elle ait, qu'ils / elles aient*.

J'ai trois enfants (nous avons trois enfants ; présent de l'indicatif).
Il faut que j'aie le temps d'arriver (que nous ayons le temps ; présent du subjonctif).
Il faut qu'elle ait la patience d'attendre (que nous ayons la patience ; présent du subjonctif).
Je crains qu'ils n'aient pas envie de venir (que nous n'ayons pas envie ; présent du subjonctif).

Remarque : l'emploi du mode subjonctif est très souvent annoncé par "que" dans des expressions comme "il faut que", "avoir peur que", "craindre que", etc.

AI/ES/EST (avoir / être)

▶ Pour ne pas confondre les formes en *[ɛ]* du verbe avoir *ai, aie, aies, ait, aient* et celles du verbe être *tu es, il est*, il suffit de remplacer le sujet du verbe par le pronom nous. Si la phrase devient *nous sommes*, il s'agit du verbe être ; si la phrase devient *nous avons*, il s'agit du verbe avoir.

Tu es en retard (nous sommes en retard ; verbe être).
J'ai du retard (nous avons du retard ; verbe avoir).

-AIL (les noms terminés en)

► Les noms masculins en *ail* se terminent par *l*, ils ont leur pluriel en *ails*.

Les détails, les éventails, les gouvernails, les rails.

Exceptions : *Le bail, le vantail, le vitrail qui ont leur pluriel en -aux.*

► Les noms féminins en *ail* se terminent par *lle*, ils ont leur pluriel en *ailles*.

Les écailles, les volailles.

-AL (les noms et les adjectifs terminés en)

► Les noms en *al* ont leur pluriel en *aux*.

Les chevaux, les journaux.

Exceptions : *Les bals, les cals, les carnavals, les chacals, les festivals, les pals, les régals, les récitals.*

► Les adjectifs masculins en *al* ont leur pluriel en *aux*.

Brutal, brutaux ; loyal, loyaux ; mondial, mondiaux.

Exceptions : *Astrals, australs, banals, fatals, glacials, natals.*

-ANT / -ENT (adjectifs verbaux et participes présents)

► Pour distinguer un adjectif verbal terminé en *ant* ou *ent*, variable, d'un participe présent en *ant*, invariable, il faut mettre la forme en *ant* au féminin ainsi que le nom qui la précède.

► Si cela est possible c'est qu'il s'agit d'un adjectif verbal ; il faut donc l'accorder avec le nom auquel il se rapporte.

► Si cela est impossible, c'est qu'il s'agit du participe présent, lequel reste invariable.

On recherche des garçons obéissants → On recherche des filles obéissantes (la transformation est possible ; il s'agit donc d'un adjectif que l'on doit accorder au nom "garçons").

On recherche des garçons obéissant à leurs parents → On recherche des filles obéissantes à leurs parents (la transformation est impossible puisqu'il faudrait dire "des filles obéissant à leurs parents" ; il s'agit donc du participe présent, invariable).

► Dans certains cas, l'adjectif verbal change en e le a du participe présent : adhérant (participe présent) devient ainsi adhérent (adjectif verbal) :

affluant, affluent ; coïncidant, coïncident ; convergeant,

convergent ; différant, différent ; divergeant, divergent ; émergeant, émergent ; équivalant, équivalent ; excellant, excellent ; expédiant, expédient ; influant, influent ; négligeant, négligent ; précédant, précédent ; résidant, résident ; somnolant, somnolent.

▶ Dans certains cas, l'adjectif verbal transforme en g ou c le gu ou le qu du participe présent ; c'est le cas notamment pour : communiquant (participe présent), communicant (adjectif verbal) :

convainquant, convaincant ; extravaguant, extravagant ; fatiguant, fatigant ; fringuant, fringant ; intriguant, intrigant ; naviguant, navigant ; provoquant, provocant ; suffoquant, suffocant ; vaquant, vacant.

Remarque : Si nous n'avons pas évoqué le cas du gérondif c'est qu'il est facile à reconnaître : il est en effet toujours précédé de la préposition "en" et est invariable.

Elles sont passées en chantant.
Elles ont chanté en passant.

AP- (les verbes commençant par)

▶ Les verbes commençant par ap prennent deux p.

Apparaître, appartenir, appeler, applaudir, apprendre, apprivoiser, appuyer, approfondir.

Exceptions : Apaiser, apercevoir, apeurer, apitoyer, aplanir, aplatir, apostropher, et les mots de la même famille.

AT- (les mots commençant par)

▶ Les mots commençant par at prennent deux t.

Attacher, atteler, atteindre, attendrir, l'attention, attraper, l'attribut.

Exceptions : L'atelier, l'athée, l'athlète, l'atlantique, l'atlas, l'atmosphère, l'atome, atroce.

-AU/-AUD/-AUT/-EAU (les noms terminés par)

▶ Voir O.

AUCUN (e)

▶ *Aucun* et *aucune* sont généralement au singulier, sauf devant des noms pluriels qui n'ont pas de singulier.

Aucuns frais.

▶ Dans l'expression figée d'aucun(e)s, précédant un verbe, qui signifie "certains" ou "quelques-uns".

D'aucuns pensent, imaginent, disent.

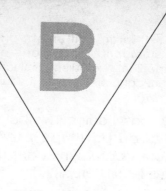

BAL- (les mots commençant par)

▶ Les mots commençant par *bal* prennent un *l*.

Le bal, la balade, la balafre, le balai, la balance, le balbutiement, la baleine, la balise, la baliverne.

Exceptions : *La ballade, ballant, la balle, la ballerine, le ballet, le ballon, le ballot, ballotter.*

⚠**Attention !** Il ne faut pas confondre les homonymes balade, signifiant promenade, et ballade, signifiant chanson, poème.

BAR- (les mots commençant par)

▶ Les mots commençant par *bar* prennent un *r*.

La baraque, le baratin, la baratte, barbare, la barbe, le baril, bariolé, le baromètre, baroque, le baron.

Exceptions : *Le barrage, la barre, le barreau, la barricade, la barrière, la barrique, barrir.*

BATTRE

▶ Les mots de la famille de *battre* prennent toujours deux *t*.

L'abattant, combattre, le débatteur, s'ébattre.

Exceptions : *Combatif, la combativité.*

BIEN QUE

▶ *Bien que* s'écrit en deux mots et est toujours suivi du mode subjonctif.

Il sourit bien qu'il ait perdu la partie.
Il sourit bien qu'il soit blessé.

BIENTÔT / BIEN TÔT

▶ *Bientôt* s'écrit en un seul mot lorsqu'on peut le remplacer par *dans peu de temps*.

▶ *Bien tôt* s'écrit en deux mots lorsqu'on peut le remplacer par *de bonne heure* ou *très tôt*.

Il viendra bientôt.
Il est venu bien tôt ce matin.

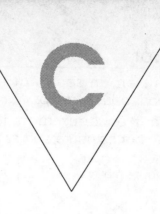

C CÉDILLE

▶ Devant *a, o, u* on met une cédille sous le c pour obtenir le son [s].

> Nous commençons, elles avançaient, il balançait, l'aperçu, la façade, le garçon.

ÇA / SA

▶ *Ça* s'écrit *ça* quand on peut le remplacer par *ceci, cela*.

> Ça va bien (cela va bien).

▶ *Sa* s'écrit *sa* quand on peut le remplacer par *ma, ta*.

> Sa robe lui va (ma robe, ta robe lui va).

CE / SE — CE SONT / SE SONT

▶ *Ce* s'écrit *ce* quand on peut le remplacer par *cela, cette* suivi d'un nom au féminin, *elles* ou *ils* suivis de sont.

> Ce n'est pas bien (cela n'est pas bien).
> Ce manteau m'appartient (cette robe ...).
> Ce sont de beaux habits (ils sont beaux ..).

▶ *Se* s'écrit *se* quand on peut le remplacer par *me*.

> Il se dit fou (il me dit fou).
> Ils se sont disputés (ils m'ont disputé).

C'EN / CENT / S'EN

▶ *Cent* s'écrit *cent* quand on peut le remplacer par une ou plusieurs "*centaines*" ou quand il est suivi d'un chiffre.

> J'ai cent francs (une centaine de francs).
> Il me doit cent cinquante francs.

⚠**ATTENTION !** Cent prend le s du pluriel quand il est

précédé d'un chiffre qui le multiplie et quand il n'est pas suivi d'un autre chiffre (on l'appelle alors chiffre "rond").

> Cette robe coûte cinq cents francs.

▶ Si *cent* est multiplié mais ne forme pas un chiffre "rond" il ne prend pas d's.

> La précédente ne m'avait coûté que quatre cent quatre-vingt-quinze francs.

▶ *C'en* s'écrit *c'en* dans les expressions figées : *c'en est fait ; c'en est trop ; c'en est assez ; c'en est fini.*

▶ *S'en* s'écrit *s'en* quand on peut le remplacer par *de ceci, de cela* ou ajouter à la fin de la phrase *d'ici* ou *de là.*

> Pierre m'a dit qu'il s'en moquait (... qu'il se moquait de cela).
> Elle pense s'en aller (d'ici).

▶ Autres homonymes :

sans : en l'absence de, dépourvu de, privé de (contraire de *avec*).

sang : liquide rouge qui coule dans les veines.

CES / SES

▶ *Ces* s'écrit *ces* quand on peut le remplacer par *celles-ci, ceux-ci, celles-là, ceux-là* ou *elles, ils.*

> Ces livres ont du succès (ils ont du succès ; ceux-ci...).

▶ *Ses* s'écrit *ses* quand on peut le remplacer par *les siennes, les siens* ou *aux siennes, aux siens.*

> Paul n'est pas content parce que ses livres sont en mauvais état (les siens sont en mauvais état).
> Catherine pense à ses parents (aux siens).

C'EST / S'EST

▶ *C'est* s'écrit *c'est* quand on peut le remplacer par *cela est* ou *ceci est.*

> C'est très drôle (cela est très drôle).

▶ *C'est* s'écrit *s'est* quand on peut ajouter à la fin de la proposition *elle-même, lui-même ; à elle-même, à lui-même* ou *nous-mêmes* après "on".

> Elle s'est maquillée (elle-même).
> Il s'est dit (à lui-même) qu'il ne recommencerait pas.
> On s'est bien amusés (nous-mêmes).

CHACUN

▶ *Chacun* n'a pas de pluriel.

> Chacun connaît sa drôlerie.

CHAR- (les mots commençant par)

▶ Les mots commençant par *char* prennent deux *r*.

La charrette, le charretier, charrier.

Exceptions : *Le charabia, la charade, le charançon, le chariot, la charité, le charivari, la charogne.*

CI-

▶ Voir *I-J* (ci-joint).

COM- (les mots commençant par)

▶ Les mots commençant par *com* prennent généralement deux *m*.

Le commandeur, le commerçant, la commode, communier.

Exceptions : *La comédie, comestible, la comète, le comice, le comité, et les mots de la même famille.*

COU / COUP / COUT

▶ *Cou* s'écrit *cou* quand il désigne la partie du corps.

On lui a tordu le cou.

▶ *Coup* s'écrit *coup* quand il désigne un choc brutal, une action brusque ou lorsqu'il signifie « fois ».

Il lui a donné un coup de poing (choc).
Elle a eu un coup de foudre pour lui (choc).
Il a attrapé un coup de soleil (action brusque).
À tous les coups l'on gagne (fois).

▶ *Coût* s'écrit *coût* quand il désigne le prix d'une chose.

Le coût de la vie ne cesse d'augmenter.

COULEUR (adjectifs de couleur)

▶ Les adjectifs de couleur s'accordent en genre et en nombre avec le nom auquel ils se rapportent.

Des bas noirs, des chaussettes roses et blanches, des cheveux blonds, des feuillets mauves et pourpres.

▶ Les adjectifs désignant des couleurs par référence à des noms communs restent invariables.

Des cahiers orange, des yeux marron, des sacs paille.

▶ Les adjectifs composés désignant une nuance de couleur restent invariables.

Des cieux bleu clair (ou bleu nuit), des cheveux châtain foncé.

D'AVANTAGE / DAVANTAGE

▶ *D'avantage* s'écrit en deux mots quand il signifie *un gain, un profit, un intérêt.*

Je n'ai pas d'avantage à rester (...d'intérêt ...).

▶ *Davantage* s'écrit en un seul mot quand il signifie *plus.*

Je veux davantage de café (plus de café).

DÉF- (les mots commençant par)

▶ Les mots commençant par *déf* prennent un *f.*

Défaire, défaut, défendre, déférer, le déficit, défier.

DEMI / SEMI / NU

▶ *Demi* et *nu* sont invariables quand ils sont placés devant un nom.

Une demi-heure, trois demi-journées, deux demi-litres, des nu-pieds.

▶ *Demi* placé après un nom s'accorde en genre (et non pas en nombre) avec le nom.

Une heure et demie, quatre ans et demi.

▶ *Nu* placé après un nom s'accorde en genre et en nombre avec ce nom.

Les jambes nues, les corps nus.

▶ *À demi* placé devant un nom ou un adjectif est toujours invariable.

À demi-mot, à demi morts de froid.

▶ *Semi* dont le sens est identique à *demi* est toujours antéposé au nom ou à l'adjectif et donc toujours invariable.

Des semi-consonnes, semi-publique, semi-rural.

DES / DÈS

▶ *Des* s'écrit sans accent quand on peut le remplacer par *de les, quelques.*

Le livre des voisins (de les).
J'ai pris des citrons (quelques).

▶ *Dès* s'écrit avec un accent grave quand on peut le remplacer par *aussitôt, tout de suite.*

Dès son retour, je partirai.

DIF- (les mots commençant par)

▶ Les mots commençant par *dif* prennent deux *f*.

Diffamer, différent, difficile.

DON / DONT

▶ *Don* s'écrit sans *t* quand on peut le remplacer par *cadeau* ou *être doué pour.*

Le grand-père a fait don (cadeau) de son piano à son petit-fils.
Tu as le don de provoquer le rire (tu es doué pour).

DU / DÛ

▶ *Du* s'écrit sans accent quand on peut le remplacer par *de le* ou *un peu de.*

Le livre du voisin.
Il a mangé du pain (un peu de pain).

▶ *Dû* d'écrit avec un accent circonflexe quand il signifie *que l'on doit, ce que l'on doit* ou *ce qui est dû.*

On lui a donné son dû (ce qu'on lui doit).
Il a dû partir (il doit partir).

-É / -ÉE / -ER (les noms masculins et féminins terminés par)

▶ Les noms féminins en é se terminent par ée.

La cheminée, la cognée, la cuillerée, la dictée, l'idée, la jetée, la pelletée, la pensée, la tétée, la tombée.

Exceptions : *Les mots féminins abstraits terminés par té ou tié.*

L'amitié, la liberté, la moitié, l'universalité, la velléité, la vérité.

La clé (clef), l'acné, la psyché (miroir).

▶ Les noms masculins en é se terminent par é ou er.

L'abbé, le blé, le cantonnier, le cavalier, le congé, le coucher, le défilé, le degré, le dîner, l'employé, l'été, le fossé, le marché, le pavé, le pommier, le pré, le thé.

Exceptions : *L'apogée, l'athée, le caducée, l'hyménée, le gynécée, le lycée, le mausolée, le musée, le pygmée, le scarabée, le trophée.*

EC- (les mots commençant par)

▶ Les mots commençant par ec prennent un c.

L'écaille, l'écart, l'éclat, éclore, l'éclair, éclatant, l'éclipse, l'école, l'écologie, l'économie, l'écoute, écraser, écrire, l'écu.

Exceptions : *Une ecchymose, un ecclésiastique.*

EF- (les mots commençant par)

▶ Les mots commençant par ef prennent deux f.

Effacer, l'effet, efficace, l'effort.

Exception : *Éfaufiler (mot rare).*

-EIL / -EUIL (les noms masculins et féminins terminés par)

▶ Les noms masculins en eil, euil se terminent par l.

Le fauteuil, le sommeil.

► Les noms féminins en *eil, euil* se terminent par *lle*.

L'abeille, la feuille, la groseille.

Exceptions : Les mots de la famille de feuille - Le chèvrefeuille, le millefeuille, le portefeuille.

⚠ **Attention** ! Si le son *euil* suit *g* ou *c* on l'écrit *ueil*.

L'accueil, l'écueil, l'orgueil, le recueil.

EL- (les mots commençant par)

► Les mots commençant par *el* prennent un *l*.

Élaborer, l'élan, l'élection.

Exceptions : Elle, l'ellipse, elliptique.

EN- (les mots commençant par)

► Les mots commençant par *en* prennent un *n*.

Encadrer, encercler, enclos.

Exceptions : Enneigé, l'enneigement, l'ennemi, ennoblir, l'ennui, ennuyeux.

ER- (les mots commençant par)

► Les mots commençant par *er* prennent un *r*.

L'éraflure, ériger, érotique.

Exceptions : L'erratum, errer, l'erreur, erroné.

-ER / -AIT (les verbes terminés par)

► Pour éviter de confondre l'infinitif *er* des verbes du 1er groupe avec les terminaisons de l'imparfait de l'indicatif (-ais, -ait, -aient), il suffit de mettre la phrase au présent.

► Les verbes qui peuvent subir la transformation sont à écrire à l'imparfait ; les autres sont des infinitifs en *er*.

Il ne savait pas chanter (il ne sait pas chanter).
Chanter et crier étaient les seules façons de manifester leur joie (chanter et crier sont les seules façons...).

⚠ **Attention** ! Quand deux verbes se suivent, le second est généralement à l'infinitif, sauf si le premier verbe est un auxiliaire de conjugaison.

Je l'ai entendu chanter.

► Quand un verbe est précédé d'une préposition, il se met toujours à l'infinitif.

Avant de démarrer, n'oubliez pas de fermer votre porte et d'attacher votre ceinture.

-ER / -É (les verbes terminés par)

▶ Pour reconnaître dans une phrase un infinitif d'un verbe en *er* (du 1er groupe) d'un participe passé en *é*, il suffit de remplacer la forme donnée par un verbe du 2ème ou du 3ème groupe comme *finir, partir, venir, vendre, prendre* dont le participe passé se prononce différemment de l'infinitif : *fini, parti, venu, vendu, pris.*

▶ Pour plus de facilité, on préférera des verbes du 2ème ou du 3ème groupe dont le sens approche le sens du verbe que l'on remplace ; mais avec l'habitude, les verbes proposés ci-dessus pourront toujours convenir.

> Il est allé travailler (il est venu vendre ; c'est-à-dire un participe passé suivi d'un infinitif).

⚠️**Attention !** Quand une phrase présente une série d'infinitifs et de participes passés, on traitera chaque forme l'une après l'autre.

> Elle a préféré rester jouer plutôt que d'aller chanter avec sa sœur.
> Elle a préféré → Elle a pris
> Elle a préféré rester → Elle a préféré partir
> Elle a préféré rester jouer → Elle a préféré rester finir
> Plutôt que d'aller → plutôt que de venir
> Plutôt que d'aller chanter → plutôt que d'aller entendre sa sœur.

ET- (les mots commençant par)

▶ Les mots commençant par *et* prennent un *t*.

> L'étable, l'établissement, l'étagère, l'état.

-EUR (les noms terminés par)

▶ Les noms féminins en *eur* se terminent par *eur*.

> L'ardeur, la fleur, la peur.
>
> *Exceptions :* La demeure, l'heure.

▶ Les noms masculins en *eur* se terminent par *eur*.

> Le bonheur, le cœur.
>
> *Exceptions :* Le beurre, le heurt, le leurre.

F

▶ La lettre *f* ne se prononce pas dans les mots suivants.

Les bœufs, le chef-d'œuvre, le cerf-volant, le nerf, les œufs.

▶ Les mots suivants ne prennent qu'un *f.*

L'agrafe, boursoufler, la carafe, l'échafaud, enfler, érafler, la gifle, la girafe, gonfler, la rafale, rafistoler, la rafle, renifler, ronfler, le soufre, le trafic.

F = PH

▶ Dans de nombreux mots le son [f] s'écrit *ph.* Nous n'en signalons ici que quelques-uns.

L'aphte, la biographie, le dauphin, le diaphragme, l'éléphant, l'emphase, l'éphémère, l'ophtalmie, l'orthographe, le paragraphe, la phalange, le phare, la pharmacie, la phase, le phénomène, le philanthrope, la philharmonie, le philtre, le philosophe, la phonétique, le phoque, la photocopie, la photographie, la phrase, la physionomie, la physique, la strophe, le téléphone et tous les mots appartenant aux mêmes familles.

FÉMININ DES ADJECTIFS

▶ Le féminin des adjectifs qualificatifs se forme généralement en ajoutant un *e* au masculin.

Bleu, bleue ; blond, blonde ; haut, haute ; intérieur, intérieure ; joli, jolie ; meilleur, meilleure ; petit, petite ; pointu, pointue.

▶ Les adjectifs en *e* au masculin ne changent pas.

Un séjour agréable, une fête agréable ; un pantalon rouge, une lumière rouge.

▶ Les adjectifs en *er* ont leur féminin en *ère.*

Entier, entière ; léger, légère.

▶ Quelques adjectifs doublent la consonne finale.

Ancien, ancienne ; bas, basse ; gentil, gentille ; annuel, annuelle ; net, nette ; violet, violette.

▶ Les adjectifs en *eur* ont leur féminin en *euse, ice*, ou *esse*.

Conducteur, conductrice ; enchanteur, enchanteresse ; indicateur, indicatrice, menteur, menteuse ; rêveur, rêveuse ; rieur, rieuse.

▶ Les adjectifs en *if* ont leur féminin en *ive*.

Captif, captive ; hâtif, hâtive ; lascif, lascive ; maladif, maladive ; tardif, tardive.

▶ Quelques adjectifs sont irréguliers.

Beau, belle ; favori, favorite ; mou, molle ; vieux, vieille.

FÉMININ DES NOMS

▶ Le féminin des noms communs se forme généralement en ajoutant un e au masculin.

Un ami, une amie ; un cousin, une cousine ; un concurrent, une concurrente ; un employé, une employée.

▶ Les noms en *er* ont leur féminin en *ère*.

Un boulanger, une boulangère ; un épicier, une épicière.

▶ Les noms en *eur* ont leur féminin en *euse, ice, esse*.

Un coiffeur, une coiffeuse ; un docteur, une doctoresse ; un empereur, une impératrice ; un enchanteur, une enchanteresse ; un spectateur, une spectatrice.

▶ Certains noms changent ou doublent la consonne finale.

Un chien, une chienne ; un époux, une épouse ; un jaloux, une jalouse ; un patron, une patronne ; un paysan, une paysanne ; un veuf, une veuve.

▶ Les noms en e ont leur féminin en *esse*.

Un âne, une ânesse ; un comte, une comtesse ; un diable, une diablesse ; un hôte, une hôtesse.

⚠ **Attention !** Certains noms féminins ne se construisent pas sur le masculin.

Un copain, une copine ; un empereur, une impératrice ; un gendre, une bru ; un mâle, une femelle ; un mari, une femme ; un neveu, une nièce ; un parrain, une marraine.

105332

G- /GU- (les mots commençant par)

▶ Devant *e* et *i* on met un u quand le *g* doit être dur.

La fatigue mais la tige.
La guenon mais le genou.
Le gui mais le gîte.

▶ Devant *a* et *o* on écrit *g*.

Le garçon, le gâteau, le gorille, la gorge.

GAI

▶ Les mots dérivés de *gai* peuvent s'écrire de deux façons.

Gaiement ou gaîment.
Gaieté ou gaîté.

GAL- (les mots commençant par)

▶ Les mots commençant par *gal* prennent un *l*.

Le gala, la galanterie, la galaxie, la galère, la galerie, la galette, le galop.

Exceptions : *La galle, le gallican, le gallicisme, le gallinacé, le gallois ainsi que les composés de gallo (gallo-romain).*

GAR- (les mots commençant par)

▶ Les mots commençant par *gar* prennent un *r*.

Le garagiste, la garantie, le garçon, le garde, la gare.

Exceptions : *La garrigue, le garrot. garrotter.*

GENRE DES NOMS

▶ Le genre des noms est parfois source d'erreurs.
▶ Les noms suivants sont masculins :

Alvéole, amalgame, anathème, antidote, antipode, antre, apogée, après-midi, arcane, astérisque, augure, automne, décombres, effluve, élastique, éphémère, épisode, équinoxe, esclandre, exode, globule, granule, hémisphère, incendie, indice, insigne, intervalle, obélisque, ouvrage, ovule, pétale, tentacule, tubercule.

▶ Les noms suivants sont féminins :

Acné, acoustique, alcôve, algèbre, arrhes, atmosphère, autoroute, échappatoire, encaustique, éphéméride, équivoque, icône, idole, immondices, impasse, interview, oasis, optique, orbite.

-GER / -GUER (les verbes terminés par)

▶ Les verbes terminés en *ger* prennent un *e muet* après le g devant *a* et *o* pour conserver à la lettre *g* le son [z] de *je*.

Elle exigeait une autorisation spéciale.
C'est en forgeant qu'on devient forgeron.
Il l'hébergeait depuis deux mois.
L'appétit vient en mangeant.

▶ Les verbes terminés en *guer* se conjuguent régulièrement et conservent le *u* de leur radical à toutes les personnes et à tous les temps.

Elle se fatiguait trop pour son âge.
Il ne distinguait pas les numéros.

GUÈRE

▶ Ne pas confondre *guère*, mot invariable signifiant *peu, pas beaucoup,* avec *la guerre.*

G

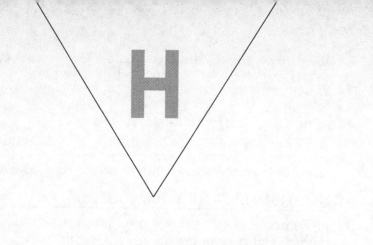

H

▶ La lettre *h* ne se prononce pas dans certains mots.

Habile, l'habit, l'habitude, l'haleine, l'harmonie, l'hebdomadaire, héberger, l'hécatombe, l'hélice, l'hélicoptère, l'hiatus, hiberner, l'hilarité, l'hiver, l'homéopathie, l'homicide, l'hommage, l'honneur, l'hôpital, l'horreur, l'hôte, l'hôtel, l'huile, l'huître, l'humain, l'humeur, l'humour.

HIPPO- / HYPO-

▶ Ne pas confondre les mots commençant par le préfixe *hippo* signifiant *cheval* et les mots commençant par le préfixe *hypo* signifiant *bas, inférieur, en dessous*.

L'hippocampe, l'hippodrome, l'hippophage, l'hippopotame, l'hypocondrie, l'hypocrisie, l'hypogée, l'hypophyse, l'hypoténuse, l'hypothèse.

HONNEUR

▶ Ce mot prend deux *n* mais on écrit *honorable, l'honoraire, honorer, honorifique* avec un seul *n*.

HYDRO-

▶ Les mots commençant par le préfixe *hydro* signifiant l'*eau* prennent un o.

L'hydrocéphale, l'hydrocution.

Exception : *Hydraulique*.

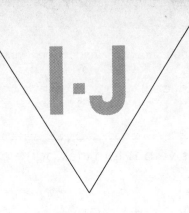

I (les noms féminins en)

▶ Les noms féminins qui se terminent par le son *i* prennent un e *final*.

La fratrie, la patrie, la vie.

Exceptions : La brebis, la fourmi, la nuit, la perdrix, la souris.

IL- (les mots commençant par)

▶ Les mots commençant par *il* prennent deux *l*.

Illégal, illégitime, illettré.

Exceptions : L'île, l'îlot, iliaque et ses dérivés.

-ILE (les adjectifs terminés par)

▶ Les adjectifs qualificatifs terminés par *ile* s'écrivent au masculin *ile*.

Un chien docile ; un ouvrier habile.

Exceptions : Civil, puéril, subtil, vil, viril, volatil.

⚠ **Attention !** Tranquille prend deux *l*.

IM- (les mots commençant par)

▶ Les mots commençant par *im* et suivis par une voyelle prennent deux *m*.

Immaculé, immédiat, immense.

Exceptions : L'image, l'imam, imiter et leurs dérivés.

⚠ **Attention !** On écrit imbécile et imbécillité.

IN- (les mots commençant par)

▶ Les mots commençant par *in* prennent un *n*.

Inactif, l'inadvertance, inaudible.

Exceptions : *Inné, innerver, l'innocence, l'innocuité, innombrable, innommable, l'innovateur et leurs dérivés.*

⚠ **Attention !** On écrit invincible et invaincu.

INFINITIF

▶ Voir *é/er* (les verbes terminés par) ; *er/ait* (les verbes terminés par).

INVARIABLES (les mots)

▶ Les mots et expressions invariables les plus fréquents :
— à, ailleurs, ainsi, alors, à moins de, après, assez, à travers, audessous, au-dessus, aujourd'hui, auparavant, auprès de, aussitôt, autant, autour, autrefois, avec ;
— beaucoup, bien, bientôt ;
— çà, car, certes, chez, cependant ;
— d'abord, dans, davantage, de, dehors, déjà, demain, depuis, dès que, dès lors, désormais, devant, donc, dont, dorénavant, durant ;
— en, en avant, en effet, enfin, et, en vain, exprès ;
— fois, fort ;
— guère ;
— hier, hormis, hors ;
— ici ;
— jadis, jamais, jusqu'à, justement ;
— là, loin, longtemps, lors, lorsque ;
— maintenant, mais, mal, malgré, mieux, mille, moins ;
— naguère, néanmoins, ne... pas, ni, non ;
— or, où, ou, oui ;
— par, parce que, parfois, par hasard, parmi, pendant, peu, peutêtre, pis, plus, plusieurs, pour, pourtant, prêt à, près de, puis ;
— quand, quatre, quelquefois ;
— rarement ;
— sans, selon, si, sitôt, sous, souvent ;
— tant, tant mieux, tantôt, tellement, tôt, toujours, tout à coup, tout à fait, très, trop ;
— vers, voici, voilà, volontiers ;
— y.

-IQUE (les adjectifs terminés par)

▶ Les adjectifs qualificatifs terminés par *ique* s'écrivent au masculin *ique*.

Un spectacle aquatique féerique ; un discours prophétique.

Exceptions : *Public, un banc public ; une salle de réunions publiques.*

-IT / -I/ -IS (participes passés ou verbes conjugués)

▶ Pour ne pas confondre un verbe conjugué terminé par *it* et un participe passé en *i* ou en *is*, il suffit de remplacer la forme verbale par l'imparfait.

▶ Quand cela est possible, il faut écrire *it*, il s'agit alors du verbe conjugué (présent, passé simple ou subjonctif).

> Ce boucher fournit toujours de la bonne viande (ce boucher fournissait).
> Il admit son erreur (il admettait).

▶ Quand cela est impossible, il faut écrire *i* ou *is*, il s'agit du participe passé ou de l'adjectif, sans oublier de l'accorder au nom auquel il se rapporte.

> Ce magasin est toujours bien fourni (bien fournissait).
> Ces boutiques sont toujours bien fournies (accord avec boutiques).
> Il nous a fourni de fausses informations (il nous a fournissait).
> Les chiens ne sont pas admis (pas admettait).
> Elle a admis son erreur (elle a admettait).

⚠ **Attention !** Pour l'accord des participes passés employés avec les auxiliaires être et avoir, voir *participe passé* (accord).

JOINT (CI-)

▶ Ci-joint est adjectif et variable :
—Quand il suit le nom auquel il se rapporte.

> Les photocopies ci-jointes.

—Quand il précède un nom lui-même précédé d'un article, d'un adjectif possessif ou numéral.

> Vous trouverez ci-jointe une photocopie de la lettre citée (une, adjectif numéral).
> Veuillez trouver ci-jointes nos propositions (nos, adjectif possessif).

▶ Ci-joint est adverbe et invariable :
—Quand il précède le nom auquel il se rapporte et que ce nom n'est lui-même précédé d'aucun article, adjectif possessif ou numéral.

> Ci-joint quittances de loyer.

—Quand il est placé en tête de phrase.

> Ci-joint les documents que tu m'as demandés.

Note : Ci-inclus, ci-annexé suivent la même règle.

KILO

▶ Le préfixe kilo signifie *mille,* il peut indiquer plusieurs mesures (un kilogramme, un kilomètre). Utilisé seul, le préfixe a le sens de *kilogramme* et peut s'abréger : *kg.*

L / LL

▶ Pour les verbes en *eler* comme *appeler,* voir *T / TT* (verbes en -eter et en -eler).

LA / L'A / LÀ

▶ Il ne faut pas confondre *la,* article ou pronom personnel féminin, *l'a,* pronom + verbe avoir, et *là,* adverbe de lieu.

▶ *La* article peut se remplacer généralement par *cette* ou *une.*

> Je prends la voiture pour travailler (je prends une voiture ou cette voiture).

▶ *La* pronom personnel féminin peut se remplacer par le nom qu'il représente.

> Il a pris la voiture : tu ne pourras pas la conduire (la est mis pour la voiture : tu ne pourras pas conduire la voiture).

▶ *L'a* pronom + verbe avoir peut se remplacer par l'*avait.*

> Il l'a prise à midi (il l'avait prise à midi).

▶ *Là* adverbe de lieu peut se remplacer par *ici.*

> Il aurait pu la garer là (il aurait pu la garer ici).

LAM- (les mots commençant par)

▶ Les mots commençant par *lam* prennent un *m.*

> La lame, la lamelle.

LAN- (les mots commençant par)

▶ Les mots commençant par *lan* prennent un *n*.

La lanière, la lanoline.

⚠ **Attention !** On écrit *la langue* et *le langage*.

LAR- (les mots commençant par)

▶ Les mots commençant par *lar* suivi par une voyelle prennent un *r*.

Le larynx et ses dérivés.

Exception : Le larron.

LAT- (les mots commençant par)

▶ Les mots commençant par *lat* prennent un *t*.

La latence, latéral, le latin, la latitude.

Exceptions : Le lattage, la latte, latter, le lattis.

LEUR / LEURS

▶ Quand *leur* est placé *devant un verbe*, il est pronom personnel pluriel invariable. On peut le remplacer par le nom qu'il représente.

Pierre aime beaucoup mes parents. Il leur envoie tous les ans des chocolats (leur : mis pour parents : il envoie à mes parents tous les ans des chocolats).

▶ Quand *leur* est placé *devant un nom ou un groupe nominal*, il est adjectif possessif et s'accorde avec le nom auquel il se rapporte. Pour savoir si *leur* s'écrit *leur* ou *leurs,* il suffit de mettre la phrase au singulier : si *leur* se transforme en *son* ou *sa*, il s'écrit sans *s*.

Ils ont tous pris leur voiture pour venir (il a pris sa voiture pour venir).

Si *leur* se transforme en *ses,* il s'écrit avec un *s*.

Ils ont chanté toute la nuit mais je ne connaissais pas leurs chansons (je ne connaissais pas ses chansons).

▶ Quand *leur* est placé *après un article*, c'est un possessif variable.

Je leur ai appris mes chansons, ils m'ont appris les leurs.
Je vois ma maison, mais je ne vois pas la leur.

LIM- (les mots commençant par)

▶ Les mots commençant par *lim* suivi par une voyelle prennent un *m*.

La limace, la limaille, la lime.

LIT- (les mots commençant par)

▶ Les mots commençant par *lit* suivi par une voyelle prennent un *t*.

> La litanie, le liteau, le litige.
>
> ***Exceptions*** : *La littérature et ses dérivés, le littoral.*

LUT- (les mots commençant par)

▶ Les mots commençant par *lut* prennent un *t*.

> Le luth, le lutin.
>
> ***Exceptions*** : *La lutte, lutter, le lutteur.*

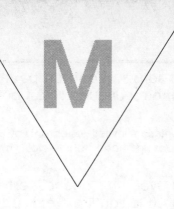

M- (devant m, b, p)

▶ Devant *m, b, p* on écrit *m* et non pas *n*.

Embarquer, embêter, embouteiller, emmailloter, empocher, emporter, la jambe.

Exceptions : Le bonbon, la bonbonne, la bonbonnière, l'embonpoint, la mainmise, la mainmorte, néanmoins, et les verbes au passé simple en înmes *(nous vînmes).*

MAL- (les mots commençant par)

▶ Les mots commençant par *mal* suivi par une voyelle prennent un *l.*

La maladresse, la malédiction.

Exceptions : La malle, malléable et ses dérivés, la mallette.

MAN- (les mots commençant par)

▶ Les mots commençant par *man* suivi d'une voyelle prennent un *n.*

La manière, le manifestant, manipuler, la manivelle, le manœuvre.

Exceptions : La manne, le mannequin.

MAR- (les mots commençant par)

▶ Les mots commençant par *mar* suivi d'une voyelle prennent un *r.*

Le marais, la mare, la marelle, le mariage, la marine.

Exceptions : La marraine, en avoir marre (assez), marri, marron, marronner, le marronnier.

MÊME

▶ *Même* s'écrit sans s quand on peut le remplacer par *aussi, seulement* ou *seul* quand il est accompagné d'une négation.

> Même les enfants sont invités (les enfants aussi sont invités).
> Il n'y a même pas un nuage dans le ciel (il n'y a pas un seul nuage dans le ciel).

▶ *Même* s'écrit *avec un s* quand il est employé avec un nom au pluriel ou lorsqu'il est précédé d'un article au pluriel.

> Donnez-moi les mêmes chaussures.
> Ils se font du tort à eux-mêmes.
> Nous ne savons pas nous-mêmes où nous allons.

MILLE / MILLION / MILLIARD

▶ *Mille* est toujours invariable ; *million* et *milliard* s'accordent.

> Trois mille millions de mille sabords. (Capitaine Haddock dans Tintin.)
> J'ai vu trente-six mille chandelles.
> Ce diamant coûte trois milliards sept cents millions de centimes.

MONSIEUR

▶ Monsieur s'écrit au pluriel *messieurs*.

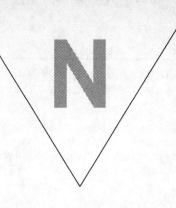

NAR- (les mots commençant par)

▶ Les mots commençant par *nar* prennent un *r*.

Le narcisse, la narine.

Exceptions : Le narrateur, narratif, la narration, narrer.

NAT- (les mots commençant par)

▶ Les mots commençant par *nat* suivi par une voyelle prennent un *t*.

La natalité, la natation.

Exceptions : La natte, natter, le nattier.

NI / NID / N'Y

▶ Ne pas confondre *ni*, mot invariable de coordination négative, avec le *nid, abri des oiseaux*, et *n'y* qui signifie *pas à cet endroit, pas là* ou *pas cela*.

L'oiseau a perdu son nid.
Il n'a ni pain ni eau.
Il n'y pense pas (il ne pense pas à cela).

NN

▶ On écrit deux n pour les mots terminés en *ion* auxquels on ajoute *alisme* ou *aliste*.

La confession	le confessionnalisme
La fonction	le fonctionnalisme

Exceptions : Le rationalisme, le traditionalisme.

⚠ **Attention !** On écrit la rationalité et rationnel.

NOM- (les mots commençant par)

▶ Les mots commençant par *nom* suivi par une voyelle prennent un *m*.

Nominal, la nomination.

Exceptions : Nommément, nommer.

NOMS PROPRES (pluriel des)

▶ Les noms propres sont généralement invariables qu'ils soient des noms de personnes, de pays, de marques, de livres, de revues.

Les Durand ; les Maréchal ; les Goncourt ; les Corneille ; les Borgia ; les Visconti ; les Hohenzollern ; les Romanov ; les Habsbourg ; les Carnot ; les La Fontaine ; les France ; les Alsace ; les Marlboro ; les Renault ; les Rouge et Noir ; les Canard Enchaîné ; les Evian et Vittel.

▶ Les noms propres prennent un *s* :

1 - Quand ils désignent certaines familles illustres au nom français ou francisé.

Les Curiaces ; les Condés ; les Césars ; les Capets ; les Bourbons ; les Stuarts ; les Tudors.

2 - Quand ils sont employés comme des noms communs établissant des comparaisons ou des références.

Le premier Empire a connu lui aussi ses Césars, ses Cicérons et ses Nérons.
Il nous faudrait de nouveaux Pasteurs et Curies et non pas des Alcestes ou des Célimènes.

3 - Quand ils sont des noms communs désignant des produits de consommation courante : ils prennent alors des minuscules à l'initiale.

Des camemberts ; des frigidaires ; des opinels (marque de couteaux).

4 - Quand ils désignent des noms de pays désignant eux-mêmes plusieurs pays ou plusieurs fleuves.

Les trois Amériques ; les deux Sèvres ; les deux Guyanes.

NOTRE / NÔTRE, VOTRE / VÔTRE

▶ *Notre* (ou *votre*) s'écrit sans accent lorsqu'il n'est pas précédé d'un article ; il s'écrit *nôtre* (ou *vôtre*) avec un accent lorsqu'il est précédé d'un article.

Notre fils va bien. Nous avons confié le nôtre à ses grands-parents.

NOUVEAU

▶ Nouveau est invariable dans l'expression *nouveau-né*.

Des nouveau-nés ; une fille nouveau-née.

NU

▶ Voir *demi/semi*.

NUL / NULLE

▶ Nul s'accorde avec le nom auquel il se rapporte :

1 - En genre et en nombre quand il est adjectif qualificatif, qu'il est placé derrière le nom qu'il qualifie et qu'on peut le remplacer par *sans valeur*.

Un film nul ; une finale nulle ; des réponses nulles.

2 - En genre seulement quand il est adjectif indéfini, qu'il est placé devant un nom féminin et qu'on peut le remplacer par *aucun, aucune*.

Nulle parole ne me fera changer d'avis (aucune).
On ne voyait nul individu à la ronde (aucun).
Je n'ai nulle envie de venir (aucune).

⚠ Attention !

1 - Nul ne se met au pluriel que devant des noms qui n'ont pas de singulier.

Nulles épousailles ; nulles mœurs ; nulles ténèbres ; nuls pourparlers.

2 - Nulle part est adverbe invariable.

▶ Nul reste au singulier quand il est pronom indéfini. On peut alors le remplacer par *aucun individu, personne*.

Nul ne peut venir le déranger (personne).
Nul n'a le droit à l'erreur (aucun individu).

N

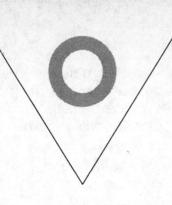

-O / -AU / -AUD / -AUT / -AUX / -EAU / -OC / -OP / -OS / -OT (les noms terminés par)

▶ Le son [o] final s'écrit de différentes façons : o, au, aud, aut, aux, eau, oc, op, os, ot. Le plus souvent la dernière consonne ne se prononce pas.

L'accroc, le broc, le galop, l'îlot, le dos.

Mais il est possible de la déduire en recherchant des mots de la même famille :

Accroc, accrocher ; galop, galoper ; dos, adossé ; repos, reposer ; cahot, cahoter.

▶ Les noms terminés par le son [o] s'écrivent généralement eau.

Le chapeau, le couteau, le drapeau.

Exceptions : Les mots terminés par au - le boyau, l'étau, le fabliau, le fléau, le gruau, le joyau, le landau, le noyau, le sarrau, le tuyau.

▶ Quand au est suivi d'une consonne finale d, t, x, il ne prend pas de e.

Le badaud, le crapaud, le réchaud, l'artichaut, le défaut, la chaux, le taux.

▶ Les mots terminés par o :

Bravo, le cacao, le domino, l'indigo, le mémento, le numéro, le piano, le recto, zéro.

▶ Les mots terminés par oc :

L'accroc, le broc.

▶ Les mots terminés par op :

Le galop, le sirop.

▶ Les mots terminés par os :

Le clos, le dos, le héros, le repos.

▶ Les mots terminés par *ot* :

Le calicot, le coquelicot, l'escargot, le goulot, le haricot, le hublot, l'îlot, le jabot, le javelot, le manchot, le mulot, le paletot, le pavot.

⚠**Attention !** Pour le pluriel des noms en [o], voir *pluriel des noms.*

OC- (les mots commençant par)

▶ Les mots commençant par *oc* prennent deux c.

L'occasion, l'occlusion, occuper, l'occurrence et leurs dérivés.

Exceptions : Oculaire et ses dérivés.

OF- / OFF- (les mots commençant par)

▶ Les mots commençant par *of* prennent deux *f.*

L'office, officiel, offrir, offusquer.

-OIR / -OIRE (les mots terminés par)

▶ Les noms masculins s'écrivent *oir.*

Le boudoir, le couloir, le dortoir.

Exceptions : L'accessoire, l'auditoire, l'interrogatoire, l'ivoire, le laboratoire, l'observatoire, le territoire, le réfectoire.

▶ Les noms féminins s'écrivent *oire.*

La balançoire, la mémoire, la patinoire.

▶ Les infinitifs terminés par oir s'écrivent *oir.*

Apercevoir, décevoir, prévoir, savoir.

Exceptions : Boire et croire.

ON / ONT / ON N'-

▶ Quand on peut remplacer *on* par *il, elle* ou *nous*, il s'écrit *on* : il s'agit du pronom indéfini.

On a pensé aux livres (nous avons pensé aux livres).

▶ Quand le verbe est suivi de *pas, plus, rien* ou *guère, on* est lui aussi suivi de *n'.* On peut le remplacer par *nous ne* ou *nous n'.*

On n'a plus le temps de jouer (nous n'avons plus...).

▶ Quand on ne peut pas remplacer *on* par *nous*, il s'écrit *ont* : il s'agit du verbe avoir, il peut se remplacer par *avaient.*

Les filles ont soif (les filles avaient soif).

-ONER / -ONNER (les verbes terminés par)

▶ Les verbes en (*oner* ...) prennent deux *n*.

Ânonner, étalonner, étonner, façonner, marmonner, plastronner, tâtonner.

Exceptions : *Détoner, dissoner, s'époumoner, ramoner, téléphoner et les verbes en ôner : détrôner.*

⚠ **Attention !** On écrit erroné.

OP- / OPP- (les mots commençant par)

▶ Les mots commençant par *op* prennent un *p*.

L'opéra, l'opération, l'opinion.

Exceptions : *Opportun, l'opportunisme, opposer, oppresser, opprimer, l'opprobre et leurs dérivés.*

OR / LORS / L'OR

▶ Ne pas confondre *or* mot invariable qui signifie mais, l'*or* métal précieux et *lors* qui signifie au moment de.

Or, lors de notre entretien l'or était coté en Bourse.

OR- (les mots commençant par)

▶ Les mots commençant par *or* prennent un *r*.

L'orage, l'oreille, l'origine, l'ornement.

-OTE (les mots terminés par)

▶ Les mots suivants ne prennent qu'un *t* :

L'anecdote, l'antidote, le compatriote, la compote, le despote, la gargote, l'idiote, la jugeote, la note, la parlote, le patriote, la pelote, le pilote, le pote, la redingote, la tremblote, le vote.

▶ Certains verbes en *oter* prennent deux *t* :

Ballotter, culotter, flotter, frotter, garrotter, grelotter, trotter.

-OU (les noms terminés par)

▶ Les noms féminins en *ou* s'écrivent *oue*.

La boue, la moue, la proue.

Exception : *La toux.*

▶ Les noms masculins en *ou* se terminent généralement par *ou*.

L'acajou, le bambou, le cou, le hibou, le sou, le trou.

Exceptions : *Nombreuses - le caoutchouc, le coup, le coût, le loup, le pouls.*

▶ Les noms féminins font leur pluriel en *oues*.

Les boues rouges ; les proues du navire.

▶ Les noms masculins en *ou* font leur pluriel en *ous*.

Les fous, les filous, les sous.

Exceptions : *Bijoux, cailloux, choux, genoux, hiboux, joujoux, poux.*

OU / OŪ

▶ Quand on peut remplacer *ou* par *ou bien*, il ne prend pas d'accent.

Veux-tu du pain ou du beurre ? (ou bien).

▶ Quand on peut remplacer *où* par *un endroit*, *un temps* ou *une situation*, il s'écrit avec un accent grave.

Où vas-tu ? (à quel endroit vas-tu ?).
Où mon émotion fut grande, ce fut quand ils applaudirent (quand, au moment où...).

-P- (lettre intercalée)

▶ La lettre P ne se prononce pas dans les mots suivants :

L'acompte, le baptême, compter, le comptoir, le dompteur, exempt, prompt, sept, le sculpteur.

PAL- (les mots commençant par)

▶ Les mots commençant par *pal* prennent un *l.*

Pâle, la palette, le palier.

Exceptions *: Le palliatif, pallier.*

PAN - (les mots commençant par)

▶ Les mots commençant par *pan* prennent un *n.*

Pané, le panier, la panique, la panoplie.

Exceptions *: La panne, le panneau, le panneton.*

PAR- (les mots commençant par)

▶ Les mots commençant par *par* prennent un *r.*

La parabole, parachever, le parachute.

Exceptions *: Le parrain, le parrainage, parrainer, le parricide.*

PARTICIPE PASSÉ (accord)

▶ Le participe passé conjugué avec l'auxiliaire *être* s'accorde en genre et en nombre avec le sujet du verbe auquel il se rapporte.

Les plantes sont fanées (plantes : sujet féminin pluriel).
Les genêts sont fanés (genêts : sujet masculin pluriel).

▶ Le participe passé conjugué avec l'auxiliaire *avoir* s'accorde en genre et en nombre avec le complément d'objet direct, si celui-ci est placé avant le verbe.

Les plantes ont fleuri (pas de complément d'objet direct, le participe passé ne s'accorde pas).

Les élèves chahutaient, le professeur les a punis (les : complément d'objet direct masculin pluriel placé devant le verbe, le participe passé s'accorde avec le pronom personnel mis pour les élèves).

⚠ **Attention !** Voici quelques participes passés qui sont toujours invariables s'ils sont employés avec l'auxiliaire *avoir* :

Accédé, afflué, agi, appartenu, bavardé, bondi, cessé, circulé, coïncidé, comparu, concouru, contribué, conversé, correspondu, daigné, déplu, discouru, disparu, dormi, faibli, frissonné, hésité, jailli, lui, marché, menti, nui, pâli, persévéré, plu, profité, reposé, ri, souri, succédé, survécu, sympathisé, tâché, valu.

PAT- (les mots commençant par)

▸ Les mots commençant par *pat* prennent un *t*.

Le pâté, patauger, la paternité.

Exceptions : *La patte, la pattemouille, pattu.*

PEL- (les mots commençant par)

▸ Les mots commençant par *pel* prennent un *l* quand le son e se prononce e ou quand e porte un accent.

La pelade, peler, le pèlerin, le pélican.

Exceptions : *La pelle, le pelletage, la pelletée et ses dérivés, la pellicule et ses dérivés.*

▸ Ils prennent deux *l* quand le son e se prononce è et qu'il ne porte pas d'accent.

PIT- (les mots commençant par)

▸ Les mots commençant par *pit* prennent un *t*.

La pitance, la pitié, le piton.

Exceptions : *Pittoresque, pittoresquement.*

PLURIEL DES NOMS

▸ Le pluriel des noms se forme généralement en ajoutant un s au singulier (y compris pour les noms d'origine étrangère passés dans le langage courant).

Un alibi, des alibis ; un bungalow, des bungalows, un duo, des duos ; un enfant, des enfants ; un épi, des épis ; un haricot, des haricots ; une maison , des maisons ; un numéro, des numéros.

▸ Les noms en *au, eau, eu* ont leur pluriel en x.

Un couteau, des couteaux ; un feu, des feux ; un tuyau, des tuyaux ; un vaisseau, des vaisseaux ; un vœu, des vœux.

P

▶ Certains noms étrangers conservent leur pluriel étranger ou restent invariables ou ont deux pluriels, l'étranger et le français.

Un extra, des extras ; un forum, des forums ; un intérim, des intérims ; un maximum, des maxima (ou des maximums) ; un match, des matches (ou des matchs) ; un soprano, des soprani.

▶ Les noms en *s, x,* ou *z* ne changent pas au pluriel.

Un gaz, des gaz ; un héros, des héros ; un nez, des nez ; un pas, des pas ; un pis, des pis ; un poids, des poids ; un prix, des prix ; un repos, des repos ; un tas, des tas ; une voix, des voix.

▶ Sept noms en *ou* font leur pluriel en *oux* :

Bijoux, cailloux, choux, genoux, hiboux, joujoux, poux.

▶ Voir *ou* (les noms terminés par).

▶ Sept noms en *ail* font leur pluriel en *aux* :

Beaux, coraux, émaux, soupiraux, travaux, vantaux, vitraux.

Voir *ail* (les noms terminés par).

▶ Les noms en *al* font leur pluriel en *aux :*

Cheval, chevaux ; quintal, quintaux ; animal, animaux ; journal, journaux.

Voir *al* (les noms terminés par).

⚠**Attention !** Certains noms n'ont pas de singulier et ne s'emploient qu'au pluriel. Citons ici les principaux :

Alentours, appas, bestiaux, confetti, confins, décombres, dépens, frais, gravats, honoraires, pénates, pourparlers, préparatifs, vivres, archives, arrhes, catacombes, doléances, fiançailles, funérailles, mœurs, obsèques, pierreries, représailles, semailles, ténèbres, vêpres.

PLURIEL DES NOMS COMPOSÉS

▶ Le pluriel des noms composés dépend des composants de ces mots. Les noms, les adjectifs s'accordent ; les verbes, les adverbes, les prépositions ou les mots invariables ne s'accordent jamais.

Les coffres-forts, les compte-gouttes, les cure-dents, les en-cas, les on-dit, les qu'en-dira-t-on, les wagons-restaurants.

⚠**Attention !** Il existe beaucoup d'exceptions ; aussi convient-il de vérifier dans un dictionnaire.

PLURIEL DES NOMS PROPRES

▶ Voir *noms propres* (pluriel des).

PLUS TÔT / PLUTÔT

▶ *Plus tôt* s'écrit en deux mots quand on peut le remplacer par son contraire *plus tard*.

Il est venu plus tôt que d'habitude (plus tard).

▶ Si cela est impossible, il s'écrit en un seul mot.

Je préfère venir en train plutôt qu'en voiture.

POL- (les mots commençant par)

▶ Les mots commençant par *pol* prennent un *l*.

Le policier, polir, le polisson, la politique.

Exceptions : Le pollen, la pollinisation, polluer, la pollution.

PRÈS DE (invariable) / PRÊT À (variable)

▶ *Près* s'écrit avec un *s* quand il signifie *proche de*, il est invariable.

▶ *Prêt* s'écrit avec un *t* quand il signifie *décidé à, disposé à, d'accord pour*. Il s'accorde en genre et en nombre avec le nom auquel il se rapporte.

▶ Pour savoir si ce mot se termine par *s* ou *t*, il suffit de le mettre au féminin.

C'est tout près d'ici (proche) mais ils ne sont pas prêts à venir (elles ne sont pas prêtes ; ils ne sont pas décidés à venir).

⚠ **Attention** ! Un prêt - action de céder pour un temps à charge de restitution - s'écrit comme prêter.

PRONOMS RELATIFS

▶ Il existe deux types de pronoms relatifs :

▶ *Les pronoms relatifs définis.* C'est-à-dire qui sont mis pour une personne ou une chose définie et nommée dans la phrase et que l'on appelle l'antécédent.

Ces pronoms relatifs définis se divisent en deux catégories :

▶ 1 - Une série "légère" : *qui, que, quoi, dont, où.*

Le chien qui aboie ; la femme que j'aime ; ce sont des choses à quoi on s'attend ; c'est une personne dont je me souviens bien ; je connais la ville où elle est née.

P

► 2 - Une série "appuyée" :

a) **pronoms dont l'antécédent est masculin singulier :** *lequel, auquel, duquel* ("le", "au", "du" + "quel").

> Le château dans lequel il réside ; l'homme auquel je pense ; le financier sur l'argent duquel je compte.

b) **pronoms dont l'antécédent est féminin singulier :** *laquelle, à laquelle, de laquelle* ("la", "à la", "de la" + "quelle").

> L'amie avec laquelle j'ai fait le tour du monde ; c'est une musique à laquelle je pense souvent ; la maison à partir de laquelle il a lancé son appel.

c) **pronoms dont l'antécédent est masculin pluriel :** *lesquels, auxquels, desquels* ("les", "aux", "des" + "quels").

> Il y avait plusieurs enfants parmi lesquels j'ai reconnu ceux des voisins ; les livres auxquels je me suis intéressé ; les amis sans l'aide desquels je n'aurais jamais fait ce travail.

d) **pronoms dont l'antécédent est féminin pluriel :** *lesquelles, auxquelles, desquelles* ("les", "aux", "des" + "quelles").

> Les personnes avec lesquelles j'ai parlé ; les idées auxquelles je fais allusion ; les amies avec l'aide desquelles elle a organisé cette fête.

► *Les pronoms relatifs indéfinis.* C'est-à-dire qui sont mis pour une personne ou une chose indéterminée et non nommée dans la phrase. Ils n'ont pas d'antécédent.

Ces pronoms relatifs indéfinis sont :
qui, quiconque, qui que, quoi que, quelque, qui que ce soit qui, quoi que ce soit que, ...

> Qui veut voyager loin ménage sa monture (celui qui veut voyager) ; quiconque sera surpris sera puni (tout individu qui) ; ne laissez entrer qui que ce soit (personne) ; ne partez pas, quoi qu'il advienne ; il est coupable, quel que soit son rôle ; je ne peux pas croire cela, qui que ce soit qui te l'ait dit ; quoi qu'il en soit, vous avez tort.

QUAND / QUANT

▶ Si l'on peut remplacer *quand* par *lorsque*, il s'écrit avec un *d*.

▶ Si *quant* est suivi de la préposition *à*, il s'écrit avec un *t* et signifie *pour ce qui est de*.

> Quand il pleut, je m'ennuie (lorsque ...).

QUATRE

▶ Quatre est toujours invariable.

QUEL / QUELLE / QU'ELLE

▶ Pour savoir si *quel* s'écrit en un seul mot *quel, quelle* ou en deux mots *qu'elle, qu'elles* il suffit de remplacer *elle* par *il* ou *lui*. Si cela est possible, *qu'elle* s'écrit en deux mots.

> Je ne veux pas qu'elle vienne (qu'il vienne).
> Je ne sais pas quel est son nom (qu'il est son nom est impossible).
> Mais qu'elle est belle ! (qu'il est beau).
> Je ne comprends pas quel avantage il peut avoir (il ou lui sont impossibles).

▶ *Quel* s'écrit *quel, quels, quelle, quelles* quand il s'agit d'un adjectif interrogatif ou exclamatif qui s'accorde avec le nom auquel il se rapporte.

▶ Quand la phrase est interrogative on peut remplacer *quel* par *qu'est-ce que, lequel, laquelle* ou *lesquels*.

> Voici des chapeaux, quel est le tien ? (lequel ...).
> Quels sont les vôtres ? (lesquels sont les vôtres).
> Voici des robes. Quelle est la tienne ? (laquelle ...).
> Quelles sont les vôtres ? (lesquelles sont les vôtres).

▶ Quand la phrase est exclamative on peut remplacer *quel* par une expression exclamative avec *comme*.

Quel beau château ! quelles belles tours ! quelle belle région ! quels gens charmants ! (comme ce château est beau ! comme ces tours sont belles ! ...).

QUELQUE / QUEL QUE

▶ *Quelque* est généralement variable et s'accorde avec le nom auquel il se rapporte. Il peut être remplacé par *plusieurs*, ou, lorsqu'il est devant un nom singulier, par *un certain, un quelconque.*

> Rapporte-moi quelques livres (plusieurs livres).
> Quelque accident l'aura empêché de me rendre ce service (un accident quelconque).

▶ *Quelque* est invariable :
— devant un nombre quand il signifie *environ, à peu près.*

> Il pèse quelque cent cinquante kilos (environ ...).

— devant un adjectif et employé avec *que* il signifie *aussi, autant.*

> Quelque ignorants qu'ils soient, ils ont réussi leur examen (aussi ignorants ...).

⚠ **A retenir !** L'orthographe de *quelconque, quelquefois, quelque chose, quelqu'un, quelque part.*

▶ *Quel que* écrit en deux mots s'accorde avec le sujet du verbe dont il est l'attribut. On peut le remplacer par *n'importe lequel / laquelle.*

> Donnez-moi des fleurs, quelles qu'elles soient (n'importe lesquelles).
> Quels que soient ses arguments, il est courageux !

-QUER (les verbes terminés par)

▶ Les verbes en *quer* se conjuguent régulièrement et conservent le *u* de leur radical à toutes les personnes et à tous les temps.

> Elle attaquait tout ce qui bougeait.
> Nous lui expliquâmes qu'il fallait risquer de traverser.

QUOIQUE / QUOI QUE

▶ *Quoique* en un seul mot signifie *bien que, encore que.*
▶ *Quoi que* en deux mots signifie *quelle que soit la chose que.*

> Quoique malade, il travaille (bien que ...).
> Quoi que tu fasses, elle crie (quelle que soit la chose que ...).

RAB- (les mots commençant par)

▶ Les mots commençant par *rab* prennent un *b*.

Rabâcher, le rabais, rabattre.

Exceptions : *Le rabbin, rabbinique, le rabbinisme.*

RAC- (les mots commençant par)

▶ Les mots commençant par *rac* prennent un *c*.

La racaille, la race, le rachat.

Exceptions : *Raccommodable et ses dérivés, le raccourci et ses dérivés, le raccroc et ses dérivés.*

-RAI / -RAIS (futur de l'indicatif/présent du conditionnel)

▶ Pour reconnaître la première personne du singulier d'un verbe au futur de l'indicatif (forme en *rai*) de la première personne du singulier d'un verbe au présent du conditionnel (forme en *rais*), il suffit de mettre le sujet de ce verbe à la troisième personne du singulier et de transformer la phrase tout en conservant le temps des autres verbes.

J'irai où tu voudras → Il ira où tu voudras (et non "il irait où tu voudras" car la concordance des temps n'est alors pas respectée).

▶ Si donc, le verbe pour lequel on hésite se transforme en verbe ayant une terminaison en *ra,* il s'agit du futur ; la terminaison du verbe pour lequel on hésitait est *rai.*

J'irai si vous venez avec moi → Il ira si vous venez avec lui (ira est la forme du futur ; il faut donc écrire j'irai).

▶ Si le verbe pòur lequel on hésite se transforme en verbe ayant une terminaison en *rait*, il s'agit du conditionnel ; la terminaison du verbe pour lequel on hésitait est *rais*.

J'irais si cela était moins cher → Il irait si cela était moins cher (irait est la forme du conditionnel ; il faut donc écrire j'irais).

Remarque : Il est possible de transformer *j'irais* en *il ira* mais il faut alors changer le temps et le mode de l'autre verbe : "Il ira si cela *est* cher", ce qu'il ne faut précisément pas faire si l'on veut distinguer *rai* de *rais*.

Si tu t'en allais, je serais peinée → Si tu t'en allais, elle serait peinée. Si tu t'en vas, elle sera peinée.

RAM- (les mots commençant par)

▶ Les mots commençant par *ram* prennent un *m*.

Le ramage, ramasser, le ramassis.

REM- (les mots commençant par)

▶ Les mots commençant par *rem* prennent un *m*.

Remanier, le remède, remercier.

Exceptions : Le remmaillage, remmailler, la remmailleuse, remmailloter, remmancher, remmener.

REN- (les mots commençant par)

▶ Les mots commençant par *ren* prennent un *n*.

Renaître, le renard, le reniement.

Exception : Le renne.

SAB - (les mots commençant par)

▶ Les mots commençant par *sab* prennent un *b*.

Le sable, le sabotage.

Exceptions : Le sabbat, sabbatique.

SAC- (les mots commençant par)

▶ Les mots commençant par *sac* prennent un *c*.

Le sac, le sacerdoce, la sacoche.

Exceptions : La saccade et ses dérivés, le saccage et ses dérivés, les composés de sacchar- *(le sucre).*

SANG / SANS /S'EN / C'EN / CENT

▶ Voir *C'en.*

▶ Les noms composés suivants sont invariables :

Les sans-abri, les sans-cœur, les sans-façon, les sans-gêne, les sans-souci.

SEMI

▶ Voir *Demi.*

SI / S'Y

▶ Quand on peut remplacer *si* par *à la condition que*, il s'écrit en un seul mot.

Si tu pars, je pars (à la condition que ...).

▶ Quand on peut remplacer *s'y* par *à cet endroit* ou *à cela*, il s'écrit en deux mots.

Elle s'y rendra (elle se rendra à cet endroit).
Il s'y est opposé (il s'est opposé à cela).

SIF- (les mots commençant par)

▶ Les mots commençant par *sif* prennent deux *f*.

Le sifflement, siffloter.

Exceptions : *Le sifilet (oiseau).*

SION / SSION / TION

▶ Le son [sjô] précédé d'une voyelle.

a) Quand la syllabe finale du mot est précédée d'un è [∈], le mot se termine en *ssion*.

La confession, la dépression, la régression, la session.

b) Quand la syllabe finale du mot est précédée d'une autre voyelle que è, soit *a, é, i, o, u,* le mot se termine en *tion*.

L'administration, l'aviation, la condition, la damnation, la dégradation, la destination, la dévotion, la falsification, la nation, la pénétration, la perdition, la pétition, la pollution, la promotion, la punition, la ration, la sécrétion.

Exceptions : *La discussion, la mission, la passion, la percussion, la scission, la soumission.*

▶ Le son [sjô] précédé d'une consonne.

a) Quand la syllabe finale du mot est précédée d'un *l* ou d'un *r* (entrave), le mot se termine généralement en *sion*.

L'émulsion, l'immersion, l'inversion, la perversion, la répulsion.

b) Quand la syllabe finale du mot est précédée d'une autre consonne (*c, p, s*), le mot se termine en *tion*.

L'attraction, la combustion, la conduction, l'extinction, la fonction, l'infraction, la présomption, la réaction, la rédemption.

▶ Le son [sjô] précédé de en [ã].

a) Quand la syllabe finale du mot est précédée du son *en* [ã], le mot se termine en *sion*.

L'appréhension, l'ascension, la dimension, la pension.

Exception : *La mention.*

b) Quand la syllabe finale du mot est précédée du son *ten* [tã] ou *ven* [vã], le mot se termine en *tion*.

La détention, l'intention, l'invention, la rétention.

Exceptions : *L'extension, la tension.*

SOI / SOIT

▶ Quand on peut remplacer *soi* par *lui-même, elle-même,* il s'écrit soi.

La confiance en soi.

▶ Quand on peut remplacer *soit* par *ou bien* ou *supposons,* il s'écrit soit.

Soit un angle droit (supposons).
Soit peur, soit timidité, il n'agit pas (ou bien par peur, ou bien par timidité).

⚠ **Attention !** Ne pas confondre soit mot invariable avec le verbe être au subjonctif présent : que je sois, que tu sois, qu'il soit, qu'ils soient.

Il faut qu'il soit là (on ne peut remplacer le verbe ni par "ou bien", ni par "supposons" mais par "que nous soyons" ou "que vous soyez").

▶ Soi-disant est invariable.

SOL- (les mots commençant par)

▶ Les mots commençant par *sol* prennent un l.

Le sol, le soleil, solennel.
Exceptions : La sollicitation, solliciter, le solliciteur, la sollicitude.

SOUF- (les mots commençant par)

▶ Les mots commençant par *souf* prennent deux f.

Le souffle, le soufflet, souffrir.
Exceptions : Le soufisme, le soufre et ses composés.

SUF- (les mots commençant par)

▶ Les mots commençant par *suf* prennent deux f.

Suffire, le suffixe, suffoquer.

SUP- (les mots commençant par)

▶ Les mots commençant par *sup* prennent deux p.

Supplanter, la suppléance, le supplément.
Exceptions : Les mots commençant par super et supra : superbe, la supercherie, supérieur, superposer, la suprématie, suprême, suprêmement.

S

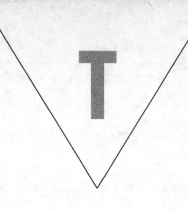

T / T T (verbes en -eter et en -eler)

▶ De nombreux verbes - environ 160 - en *eter* et en *eler* doublent le *t* ou le *l* lorsqu'ils sont conjugués aux temps suivants :

—Le présent de l'indicatif.

Je jette, tu jettes, il jette, ils jettent.

Exceptions : *Nous jetons, vous jetez.*

—Le futur.

J'appellerai, tu appelleras, il appellera, nous appellerons, vous appellerez, ils appelleront.

—Le conditionnel présent.

J'étiquetterais, tu étiquetterais, il étiquetterait, nous étiquetterions, vous étiquetteriez, ils étiquetteraient.

—Le présent du subjonctif.

Que je chancelle, que tu chancelles, qu'il chancelle, qu'ils chancellent.

Exceptions : *Que nous chancelions, que vous chanceliez.*

—L'impératif.

Appelle, jette.

Exceptions : *Appelons, jetez.*

⚠ **Attention !** Les verbes suivants et leurs composés conjugués sur le modèle de geler et de acheter ne doublent pas la consonne, mais indiquent par un accent grave la différence de prononciation entre les personnes.

J'achète, nous achetons ;
je cèle, nous celons ;
je cisèle, nous ciselons ;
je congèle, nous congelons ;
je crochète, nous crochetons ;
je dégèle, nous dégelons ;

je démantèle, nous démantelons ;
j'écartèle, nous écartelons ;
je furète, nous furetons ;
je gèle, nous gelons ;
j'halète, nous haletons ;
je martèle, nous martelons ;
je modèle, nous modelons ;
je pèle, nous pelons.

TAL- (les mots commençant par)

▶ Les mots commençant par *tal* prennent un *l*.

Le talent, le talisman, le talon, le talus.

Exceptions : *La talle, taller.*

TAP- (les mots commençant par)

▶ Les mots commençant par *tap* prennent un *p*.

Le tapage, se tapir, la tapisserie.

TAR- (les mots commençant par)

▶ Les mots commençant par *tar* prennent un *r*.

Tarabuster, tarauder, la tare.

TEL- (les mots commençant par)

▶ Les mots commençant par *tel* prennent un *l*.

Le télégramme, le téléphone et tous les mots composés avec le préfixe télé signifiant la distance.

Exceptions : *Tellement, la tellure, tellurique.*

TEL / TELLE, TEL QUEL / TEL QU'ELLE

▶ *Tel* s'accorde en genre et en nombre avec le nom auquel il se rapporte.

▶ Quand il est adjectif qualificatif et qu'on peut le remplacer par *pareil à, semblable à, si grand*(e), *comme*.

Elle a une telle envie de te connaître (si grande).
Des contrats tels que le sien ne devraient pas exister (semblables).
Tel père, tel fils (semblables).
Des romanciers tels Hugo, Dickens, Dostoïevski ont accompli une œuvre monumentale (pareils à).
Ils ont de tels ennuis qu'ils sont bien à plaindre (de si grands).
La musique est un art et comme tel ne doit pas avoir de frontières (sous-entendu « comme tel art »).
Il a fait un bruit tel que je n'ai pu dormir (si grand).

T

▶ Quand il est adjectif indéfini et qu'on peut le remplacer par *cela, ce, cette*, etc.

Il pensait que tel était son destin (cela).
Il ne sait pas si telle ou telle solution est meilleure (cette, cette).

▶ *Tel* pronom indéfini prend les marques de genre et de nombre du nom qu'il remplace.

Tel est pris qui croyait prendre (celui qui est pris est celui qui...).
Telles qui chantent en été, en hiver quémanderont (celles qui).
Il ne jure que par madame une telle, monsieur un tel.
Un tel et une telle ne m'ont jamais donné à manger (on peut aussi écrire untel, unetelle).

▶ *Tel quel* est une locution adjective indéfinie qui s'accorde en genre et en nombre avec le nom auquel elle se rapporte. On peut la remplacer par *tel qu'il est, sans changement*.

La libraire m'a vendu ces livres tels quels, cette trousse telle quelle.

⚠ **Attention !** Pour éviter de confondre tel quel, locution adjective indéfinie, et tel qu'elle, il suffit d'essayer de remplacer la forme douteuse par tel qu'il.

J'ai recopié ce texte tel qu'elle me l'avait demandé (tel qu'il).

TEN- (les mots commençant par)

▶ Les mots commençant par *ten* prennent un *n*.

La teneur, tenir, le ténor.
Exceptions : *Le tennis, le tennisman.*

TIR- (les mots commençant par)

▶ Les mots commençant par *tir* prennent un *r*.

La tirade, le tirage, tirailler.

TOL- (les mots commençant par)

▶ Les mots commençant par *tol* prennent un *l*.

Tolérer, la tôlerie.
Exception : *Le tollé.*

TOUS / TOUT

▶ Tous s'écrit généralement *tous* quand il est suivi de *les* ou quand on peut le remplacer par *tous les* suivi du nom auquel il se rapporte.

La nuit, tous les chats sont gris, mais tous ne miaulent pas (tous les chats ne miaulent pas).

▶ Tout s'écrit *tout* et est invariable quand on peut le remplacer par *complètement, tout à fait.*

> Elle est tout en larmes (complètement en larmes).

⚠ **Attention !** Devant un adjectif féminin commençant par une consonne, tout s'accorde.

> Elle est de toute beauté.

⚠ **À retenir !** Les expressions dans lesquelles *tout* est toujours au singulier : *en tout cas, de toute façon, de tout genre, à tout hasard, à toute heure, en tout point, à tout propos, de tout temps.*

▶ Les expressions dans lesquelles *tout* est toujours au pluriel : *de tous côtés, à tous égards, en toutes lettres, en tous sens.*

T

U

-U (les noms féminins terminés par)

▶ Les noms féminins terminés par *u* s'écrivent *ue*.

La bienvenue, la charrue, la cohue.

Exceptions : *La bru, la glu, la tribu, la vertu.*

-ULE (les noms terminés par)

▶ Les noms terminés par *ule* s'écrivent *ule*.

Le bidule, le globule, le monticule.

Exceptions : *La bulle, le calcul, le consul, le recul, le tulle.*

UN- (les mots terminés par)

▶ Les mots commençant par *un* prennent un *n*.

L'unité, l'univers.

-URE (les mots terminés par)

▶ Les mots terminés par *ure* s'écrivent *ure*.

L'aventure, la brûlure, le mercure.

Exceptions : *L'azur, le fémur, le futur, le mur.*

-UT / U (participes passés ou verbes conjugués)

▶ Pour ne pas confondre un verbe conjugué terminé par *ut* et un participe passé en *u*, il suffit d'essayer de remplacer la forme verbale par l'impératif.

▶ Quand cela est possible, il faut écrire *ut* parce qu'il s'agit alors du verbe conjugué.

Elle parut à la fenêtre (elle paraissait).
Elle crut mourir de rire (elle croyait).
Il reconnut son ami (reconnaissait).

▶ Quand cela est impossible il faut écrire *u* parce qu'il s'agit du participe passé ou de l'adjectif. Il ne faut pas oublier de l'accorder au nom auquel il se rapporte.

Il a reconnu son erreur ("il a reconnaissait" est impossible).
Ce sont des choses bien connues ("bien connaissait" est impossible).

⚠**Attention !** Pour l'accord du participe passé employé avec être et avoir, voir *participe passé* (accord).

U

VAL- (les mots commençant par)

▶ Les mots commençant par *val* prennent un *l*.

Le valet, la valise, valoir.

Exceptions : *La vallée, le vallon, vallonné, vallonnement.*

VAN- (les mots commençant par)

▶ Les mots commençant par *van* prennent deux *n*.

La vanne, la vannerie, le vanneur.

Exceptions : *La vanille, vanillé, le vanillier, la vanité et leurs dérivés.*

VEL- (les mots commençant par)

▶ Les mots commençant par *vel* prennent un l.

Le vélin, le vélo, le velours.

Exceptions : *Velléitaire, la velléité.*

VER- (les mots commençant par)

▶ Les mots commençant par *ver* prennent un *r.*

Véridique, la vergogne, véritable.

Exceptions : *Le verrat, le verre, le verrou, la verrue et leurs dérivés.*

VERBE (accord du)

▶ Le verbe s'accorde en genre et en nombre avec son sujet.

▶ Le sujet d'un verbe se trouve en posant la question *"Qui est-ce qui + verbe conjugué ?".*

La cigale chante et les fourmis travaillent.

Qui est-ce qui chante ? la cigale (sujet féminin singulier du verbe chanter).
Qui est-ce qui travaillent ? les fourmis (sujet féminin pluriel du verbe travailler : accord en ent).

▶ Deux ou plusieurs sujets équivalent à un sujet pluriel.

Le loup, le renard, la belette et le petit lapin étaient partis se ravitailler.

▶ Le sujet n'est pas toujours devant le verbe. Quand il est situé après le verbe on parle de sujet inversé.

Du premier étage arrivaient des cris perçants (cris, sujet de arriver).
Ils vont bientôt finir, s'exclamèrent-ils en chœur (ils, sujet de s'exclamer).

VINGT

▶ Vingt ne prend jamais d's.

Exceptions : *Quatre-vingts, cent quatre-vingts, deux cent quatre-vingts...*

VOIR / VOIRE

▶ Voir s'écrit sans e lorsqu'il est l'infinitif du verbe ; on peut le remplacer par *apercevoir*.

Sans lunettes, il ne peut rien voir (apercevoir).

▶ Voire s'écrit avec un e lorsqu'il est invariable ; on peut le remplacer par *et même*.

Ce travail me prendra trois mois, voire des années (et même des années).

⚠️**Attention !** Il est incorrect puisque redondant de dire : voire même.

V

W

▶ Le w se prononce le plus souvent *v*.

Le wagon, Wagner.

Exceptions : *Le watt, le week-end, le whisky.*

X

▶ Le *e* précédent *x* n'est jamais accentué.

Annexer, l'excédent, excéder, excellent, excentrique, l'exception, excepté, l'excès, excessif, l'excitation, l'exclamation, exclure, excuser, inflexible.

▶ *Ex + voyelle* ou *h* muet en début de mot se prononce [∈gz].

Exact, exagérer, l'examen, exaspérer, exécuter, exemple, exercice, exiger, exil, exister, exotique, exorbitant.

▶ *Ex + consonne* en début de mot se prononce [∈ks].

Excédent, excellent, exception, excès, excitant, expirer, extérieur, exterminer.

▶ *Ex + voyelle* ou *consonne* en milieu de mot se prononce [ks].

Annexer, apoplexie, fixer, inflexible, mixte, saxophone, texan.

Note : *Dix* se prononce *dice* et *dixième* se prononce *dizième*.

Y

▶ Attention à l'orthographe des mots suivants :

Le yacht, le yaourt, le yucca.

YER-

▶ Les verbes en *yer* changent l'*y* en *i* devant un *e muet*, c'est-à-dire au présent de l'indicatif et du subjonctif (sauf aux première et deuxième personnes du pluriel de l'indicatif), au futur et au conditionnel présent.

J'essaie de déblayer, puis tu balaieras.
Il faut que tu essuies la vaisselle dès que le chien aboiera.

▶ On trouve un *i* après l'*y* aux deux premières personnes du pluriel de l'imparfait de l'indicatif et au présent du subjonctif.

Autrefois vous vous appuyiez sur des principes plus stricts.
Que nous envoyions ou non ce chargement, il faudra que nous le payions.

⚠**Attention !** Une autre orthographe subsiste encore pour les verbes balayer, essayer, payer, aux temps suivants :
Présent, futur, impératif, conditionnel, présent, présent du subjonctif.
Il s'agit d'une orthographe qui tend à disparaître mais on peut trouver encore :

Je balaye, ils balayent, elle essaye, j'essayerai, il payera, que tu payes.

Z

▶ Attention à l'orthographe des mots suivants :

Le bazar, bizarre, le gaz, le magasin, le magazine (revue), le nez, le zénith, le zéphyr, le zeste, le zigzag, zigzaguer, le zinc, zinguer, le zingueur, la zone, le zoo.

Y
Z

EXERCICES

A - À

*Complétez les phrases suivantes en employant **a** ou **à**.*

1 - Je pense aller ... Paris ... la mi-août.

2 - Il ... toujours eu ... compter sur lui-même.

3 - "Salut ... toute la compagnie, bande de bons ... rien !" ... -t-il crié ... l'assistance surprise.

4 - Il est fou ... lier, ... expliqué mon voisin ... sa voisine.

5 - Il ... du toupet mais ... dire vrai, il n'... pas tort.

ACCENTS

Dans la liste suivante, trouvez :

1 - cinq mots comportant deux accents aigus,

2 - cinq mots comportant un accent grave,

3 - cinq mots comportant un accent aigu et un accent grave,

4 - cinq mots comportant un accent circonflexe,

5 - cinq mots comportant un accent circonflexe et un accent aigu,

6 - cinq mots ne comportant pas d'accent.

> abime, age, aine, ame, aout, bateau, boiteux, chalet, college, cote, deces, elephant, eleve, enchaine, ete, evenement, greve, maçon, melee, phenomene, prelevement, pres, psychiatre, seche, societe, telephone, tete, theatre, theoreme, tres.

ACCORD DES ADJECTIFS

En recopiant dans son cahier les dictons de nos aïeux sur les saisons, le temps et les récoltes, l'apprenti jardinier s'est trompé douze fois sur l'orthographe des adjectifs soulignés. Aidez-le à faire la chasse aux fautes.

1 - À l'an nouveaux, fais deux <u>petites</u> crêpes <u>épaisses</u> et <u>dorées</u> pour avoir de l'argent <u>frais</u> et <u>vrai</u> toute l'année.

2 - Hivers trop <u>beaux</u>, étés <u>sec</u> et <u>chauds</u>.

3 - S'il gèle fort à la Saint-Sulpice, l'hiver ne sera pas <u>pluvieux</u> mais <u>doux</u> et <u>propices</u>.

4 - Mars <u>venteux</u> et <u>aride</u>, juin <u>gracieux</u> font <u>riches</u> et <u>gai</u> laboureurs.

5 - Homme <u>frileux</u>, si les avrils sont <u>gentil</u> et <u>cléments</u>, ne te découvre pas d'un <u>seul</u> fil.

6 - Les étés <u>brûlants</u> font les blés <u>fort</u> et <u>lourds</u>.

7 - Étoiles <u>filantes</u> en septembre, tonneaux trop <u>petit</u> en novembre.

8 - Septembre <u>humides</u> et <u>gris</u>, pas de tonneau vide.

9 - En septembre, sois <u>prudents</u>, achète graines <u>jolies</u> et <u>chauds</u> vêtements.

10 - <u>Bel</u> automne <u>tardifs</u> vient plus souvent que <u>beau</u> printemps <u>précoce</u>.

11 - Si le temps est fort <u>clair</u> le jour de la Saint-Denis, l'hiver sera <u>bien</u> <u>rigoureu</u>.

12 - À la Sainte-Catherine, baguette et badine <u>tendre</u> prennent racine.

ADVERBES EN -EMENT, -MENT, -MMENT_____

Donnez les adverbes formés avec les adjectifs suivants :

vert	direct	large	dur	abondant
résolu	différent	triste	gai	franc
absolu	sûr	nouveau	fréquent	inconscient
violent	prudent	savant	constant	fier

AF - AG - AI - AIT - AIENT - AP - AT_____

*Remplissez cette grille en vous aidant des définitions suivantes et en vous reportant aux règles sur les formes verbales **ai**, **aie**, **aies**, **ait**, **aient**, sur les mots terminés par **ai** ou **aie**, sur les mots commençant par **af**, **ag**, **ap**, ou **at**.*

HORIZONTALEMENT

1 - 3ème personne du singulier du passé simple du verbe tacher.

2 - Opposé de tard.

3 - Devenir visible (verbe en ap ou app).

4 - Début d'apaisement.

5 - Début d'apéritif.

6 - Elle ...... les yeux au ciel (synonyme de hausser au passé simple).

7 - J'...... trois enfants (verbe avoir au présent de l'indicatif).

8 - Synonyme de déshabillée, sans vêtement.

9 - Je crois que je n'...... pas eu de chance.

10 - Contraire de mou.

11 - Début d'athée.

12 - Synonyme de serrer (infinitif).

13 - Appui, soutien (substantif du verbe étayer).

14 - Époque.

15 - Petit arbre.

16 - Athée en deux lettres (phonétiquement).

17 - Il faut qu'il ...... le temps d'arriver (verbe avoir au subjonctif présent).

18 - Il faut qu'ils ...... le temps d'arriver (verbe avoir au subjontif présent).

19 - Deuxième note de la gamme.

20 - Je suis sûr que j'...... compris (verbe avoir).

21 - Attacher un cheval ou un bœuf à une charrue.

VERTICALEMENT

22 - Faire partie de quelque chose, être à quelqu'un (verbe en ap/app).

23 - Début d'apparaître.

24 - Phonétiquement acheter.

25 - Tu me dis cela mais je ne ... crois pas.

26 - Avec aplomb (deux premières lettres).

27 - Je ne sais pas si j'... le droit (verbe avoir).

28 - Boisson alcoolisée que l'on prend avant le repas.

29 - Deux premières lettres d'athée.

30 - Lieu planté de châtaigniers.

31 - Terminaison du verbe appartenir.

32 - Parvenir à rattraper quelqu'un.

33 - Saison chaude.

34 - Métal précieux.

35 - Douze mois.

36 - Lieu où les artisans ou les ouvriers travaillent ensemble.

37 - Début d'attachement.

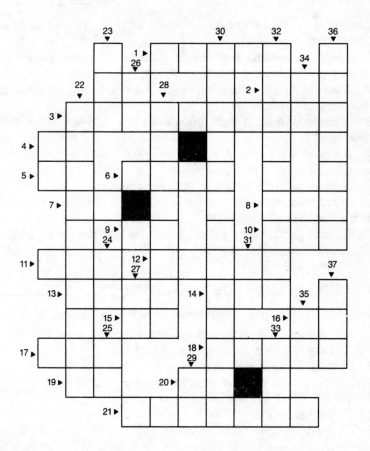

-AIL -AL

Mettez les mots incomplets au pluriel.

1 - "Vous lisez comme moi les journa......", dit l'inspecteur. "Alors permettez-moi de vous poser encore quelques questions pour éclaircir des déta...... en apparence bana...... mais qui pour moi sont d'une importance capitale."

2 - "La victime avait-elle l'habitude de fréquenter les ba......, carnav...... ou récita... de la région?"

3 - "Ses compagnons étaient-ils loya...... ou bruta......?"

4 - "Avez-vous vu des vola......, des cheva...... ou du béta...... dans la cour de la ferme au moment du drame ?"

5 - "Les porta...... des étables étaient-ils fermés ?"

6 - "Les ouvriers qui s'occupent de poser des ra...... étaient-ils encore sur les lieux des trav...... ou étaient-ils absents ?"

7 - "Par quels soupira...... les assassins se sont-ils enfuis ?"

-ANT / -ENT

*Écrivez la forme en **ant** qui convient à partir des verbes entre parenthèses.*

1 - Les marathoniens sont arrivés (*haleter*) ......, (*transpirer*) ......, (*suffoquer*) ......, mais contents et (*vivre*) ......

2 - Cela (*être*) ......, il faut bien reconnaître que le parcours était (*fatiguer*) ......, (*exténuer*) ......

3 - C'est vrai, mais il était (*équivaloir*) ...... à celui des années (*précéder*) ......

4 - Certains, (*penser*) ...... qu'il fallait arriver avant la nuit, avaient accéléré l'allure.

5 - C'est en (*courir*) ...... que l'on devient coureur.

6 - Ils ont tous été parfaitement (*convaincre*) ...... même si sur le fil ils n'étaient pas très (*fringuer*) ......

7 - L'année prochaine il faudra rechercher des circuits (*répondre*) ...... à des normes plus strictes.

AUCUN / ACCORD DE L'ADJECTIF

Mettez au pluriel les phrases suivantes, quand cela est possible.

1 - Aucun dans cette salle ne pense comme moi.

2 - Ce séjour ne lui a occasionné aucuns frais.

3 - Il arbore un sourire franc et amical.

4 - Il parle parfaitement les langues française et portugaise.

5 - Elle s'habille toujours d'une jupe et d'un pull noirs.

6 - Ce film est original et inattendu.

7 - Ce fauteuil ancien est bien bancal.

BAL

*À la suite de chacune des définitions suivantes, écrivez un mot commençant par **bal** ou **ball**.*

1 - Promenade sans but précis	- une bal…
2 - Instrument qui sert à peser	- une bal…
3 - Balle de cuir ou de matière plastique qui permet de jouer au football	- un bal…
4 - Danse exécutée par des artistes	- un bal…
5 - Faire aller sa tête de droite à gauche	- bal…
6 - Ustensile composé d'un manche et d'une brosse qui sert à nettoyer	- un bal…
7 - Mammifère de très grande taille qui vit dans l'eau	- une bal…
8 - Danseuse de ballet	- une bal…
9 - Petit poème de forme libre	- une bal…

BAR

*Remplacez les points par **r** ou **rr**.*

Près du ba…age, le maçon construit une ba…aque pour déposer les ba…iques d'explosifs. Le chantier est entouré de ba…ières aux ba…eaux étroits qui éloignent les curieux.

BAT

*Rayez la mention inutile puis récrivez, s'il le faut, la forme correcte (**t** ou **tt**).*

un bâtiment	exact	faux
un bateleur	exact	faux
une bataille	exact	faux
un combatant	exact	faux
une combattivité	exact	faux
un bâttard	exact	faux
combatif	exact	faux
un débatteur	exact	faux
batre	exact	faux

BIEN TÔT / BIENTÔT / BIEN QUE

*Complétez les phrases par **bien tôt**, **bientôt** ou **bien que**.*

Antoine, accusé d'un crime …… il soit innocent, fuit son village. Longtemps, il se lèvera …… pour échapper à ses poursuivants. Il va connaître …… le vaste monde et s'abandonnera à de nombreuses aventures …… son tempérament soit plutôt réservé.

Ç

*Placez une cédille sous le **C** si besoin est.*

Un garcon, un souriceau, un morceau, une limace, un glacon, une rancon, un troncon, un pinceau, un poincon, un pourceau, un sourcil, un Francais, un sucon, un forcat, une face, un recu, vous commencez, elles avancaient, il effaca, nous balancâmes.

ÇA / SA - CE / SE - CES / SES - S'

*Complétez les phrases suivantes par **s'**, **ça**, **sa**, **ce**, **se** ou **ces**, **ses**.*

1 - ...... matin les cloches de l'église n'ont pas sonné.

2 - Les villageois ...... sont demandé ...... il y avait eu une panne d'électricité.

3 - Chacun est resté au lit contrairement à ...... qu'exige la coutume.

4 - "... ne peut pas être un sabotage !" ......exclamèrent les commères.

5 - Madame X et ...... voisine parlèrent de porter plainte auprès de ...... nouveau maire qu'elles redoutaient tant.

6 - Mais ...... décisions sont difficiles à prendre lorsqu'il ...... agit d'actes officiels !

7 - Aussi ...... décidèrent-elles à reporter cette réclamation à la condition que le maire fasse la preuve de ...... compétences.

8 - Que ...... genre d'incident ne ...... renouvelle plus !

C'EN / CENT / SANS / SANG / S'EN / SENS

*Pour chacun de ces proverbes, maximes ou dictons, orthographiez correctement le son [sã] en choisissant entre **c'en**, **cent**, **sans**, **sang**, **s'en** ou **sens**.*

1 - Bon ...... ne saurait mentir.

2 - ...... coup férir.

3 - À vaincre ...... péril, on triomphe ...... gloire.

4 - Mettre tout ...... dessus dessous.

5 - Aller ...... devant derrière.

6 - Gagner des mille et des ....

7 - ...... remettre à Dieu.

8 - ...... méfier comme de la peste.

9 - Faire les ...... pas.

10 - ...... est fait de nous !

CHACUN / CHAR- / COM-

Complétez la grille par des mots commençant par chac-, char-, com-, en vous aidant des mots cités dans les listes du répertoire.

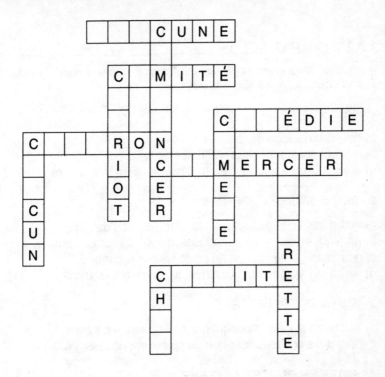

COU / COUP / COÛT

Choisissez la forme cou, coup, coût qui convient.

1 - Le charpentier s'est rompu le ...... en tombant du toit.
2 - Le ...... de la vie ne cesse d'augmenter.
3 - Lors d'une manifestation, on peut craindre des ....
4 - C'est un fusil à six ....
5 - Massez-vous le ...... à l'aide de ce baume.
6 - Quel ...... dites-vous ? cela me paraît très cher !

ADJECTIFS DE COULEUR

Cochez d'une croix les adjectifs de couleur qui peuvent s'accorder.

orange	paille	abricot	rouge	pourpre
blanc	bleu-noir	noir	fauve	bleu
rose	noisette	jaune	cerise	olive
blond	mauve	vert	kaki	café
châtain	gris-bleu	turquoise	ocre	chocolat
marron	brun	gris	rouille	framboise

LA LETTRE D

Trouvez les mots extraits des exemples donnés dans les règles, à la lettre D, correspondant aux définitions suivantes :

1 - MOTS EN NEUF LETTRES

a) adverbe qui signifie "plus".
b) adjectif qui signifie "qui n'est pas facile".
c) adjectif qui signifie "autre", "qui n'a pas la même nature".

2 - MOTS EN SEPT LETTRES

a) verbe qui signifie changer, transformer sans détruire.
b) nom qui signifie ce qui manque pour équilibrer un compte.
c) nom qui signifie l'action de protéger d'une attaque.
d) verbe qui signifie conduire quelqu'un devant la justice.

3 - MOTS EN SIX LETTRES

a) verbe qui signifie provoquer, refuser de se soumettre.
b) nom qui signifie un manque de ce qui est nécessaire.

4 - MOTS EN QUATRE LETTRES

a) adverbe qui signifie la moitié.
b) adjectif qui signifie à demi.
c) pronom relatif complément d'un nom.
d) participe passé féminin pluriel qui signifie des choses que l'on doit.

5 - MOTS EN TROIS LETTRES

a) article qui signifie plusieurs.
b) préposition qui signifie immédiatement.
c) nom qui signifie cadeau.
d) adjectif qui signifie qu'une personne est sans vêtement.

6 - MOTS EN DEUX LETTRES

a) adjectif qui signifie qu'un homme est sans vêtement.
b) article contracté qui signifie une partie de.
c) nom qui signifie ce que l'on doit.
d) préposition qui signifie l'origine.

E

LES MOTS COMMENÇANT PAR EC-/ EF-/ EL-/ EN-/ ER-/ ET.
LES MOTS TERMINÉS PAR -É / -ÉE / -ER. _____

Complétez si besoin le début des mots commençant par e à l'aide de consonnes simples ou redoublées, selon le cas, et complétez la fin des féminins et masculins en é, ée, et en er en respectant l'accord.

Le père Grandet est un des personnages les plus renomm ... du romanci ... Honoré de Balzac.

En 1827, il a quatre-vingt-deux ans. C'est un renti... qui possède vignes, bois et prairies planté... de peupli..., qu'il fait fructifier avec e...icacité. C'est aussi, malgré d'ineffables souli... un visage e...rayant, un homme à la pens... encore alerte mais e...acé et qui ne fait pas é...alage de sa fortune. Avare et e...icace en affaires, il avoue dans l'intimit... n'avoir e...ectivement d'amitié..., d'é...an et de fraternit... que pour les notaires et les banqui.... Lorsqu'il parle d'argent, il s'e...orce de simuler la surdit... et son visage cesse alors de marquer l'e...ui pour se tendre en un e...ort d'extrême attention.

Grand, à l'é...at de sant... é...onnant malgré le poids de quelques infirmit..., il n'a pas d'hériti... masculin. À la mort de son frère, il é...ablit chez lui son é...égant neveu Charles.

Celui-ci éprouve une passion é...latante pour sa cousine Eugénie, la fille du Père Grandet.

Parti e...er de par le monde, Charles s'acquiert une réputation de tireur émérite, capable d'abattre du premier coup, à trente pas de distance, une poup... ou un e...emi !

Après bien des revers et des e...eurs, il fait fortune et épouse à Paris mademoiselle d'Aubrion.

INFINITIF ER / PARTICIPE PASSÉ É / EIL / EILLE / EUIL / EUR / EURE.
IMPARFAIT AIT / AIENT. _____

Remplacez les points de suspension par l'une des terminaisons suivantes : é, ée, er, eil, eille, euil, eur, eure, ait ou aient, si besoin. N'oubliez pas l'accord.

Le visage d'Eugénie Grandet avait jadis respir... la fraîch... de la groseil... et fait rêver bien des jeunes gens énamour... ; mais pour l'heur..., en 1819, à vingt-trois ans, l'écuei... d'une petite vérole, suffisamment bénigne pour ne pas laisse... de traces, avait transform... pour son malh... ce qui faisait l'orguei... de son père, l'éclat de sa beauté pass... que tous s'employai... à vant... jadis avec ard....

Fortement constitu..., elle était cependant dot... d'un physique qui n'avait rien à envi... aux frêles et jolies fleu... de son temps. Amoureuse de son cousin Charles venu habit... la demeu... de ses parents, elle lui avait cédé..., en femme de cœu..., la fortune dont elle avait hérit... de son père. C'est que n'ayant jamais manqué de rien elle mettait un point d'honneu... à ne pas se préoccup... voire à se moqu... de l'argent. Contrairement à son avare de père, elle pouvait très bien s'en pass... et même le distribu... généreusement aux nécessiteux.

Mari... à monsieur de Bonfons, puis veuve, Eugénie n'a jamais aim... que son cousin Charles.

F / PH

*Remplacez les points de suspension par **f** ou **ph** dans le texte suivant.*

Le bon sens populaire qui ne s'embarrasse pas d'em...ase ...ourmille d'expressions ...amilières et de ...rases où figure le mot œu.... Mais attention à l'orthogra...e et à la ...onétique ! L'on prétend ainsi que :
— on ne ...ait pas d'omelette sans casser d'œufs ;
— qui vole un œu... vole un bœu... ;
— il ne faut pas mettre tous ses œu... dans le même panier.
L'on prétend d'autre part que l'argent est le ner... de la guerre mais qu'il ne fait pas le bonheur.
Ce à quoi on pourrait répondre qu'il ne faut pas non plus mettre :
— un élé...ant dans un magasin de porcelaine ;
— un ...oque dans un ...are ;
— un dau...in dans une piscine sans ...iltre ;
— un ...armacien dans un ...iltre d'amour ;
— un télé...one chez un ...ilosophe ;
— une ...aute d'orthogra...e dans une ...rase !

LE FÉMININ DES ADJECTIFS

Mettez ces adjectifs au féminin.

extérieur	merveilleux	entier	lourd	naïf
gentil	tardif	facile	menteur	mauvais
fou	chaud	ambitieux	intéressant	docile
net	bas	amer	nul	excessif

LE FÉMININ DES NOMS

Donnez les noms féminins correspondant au masculin des noms suivants.

prince	auditeur	patron	directeur	copain
mari	chat	partisan	veuf	loup
chien	marchand	paysan	roi	géant
coiffeur	amoureux	chanteur	candidat	couturier

G / GU (les mots comportant)

*Choisissez de mettre ou de ne pas mettre **u** après le **g** dans les mots suivants.*

g-erre	élég-ant	fatig-e	g-ars
g-ai	g-érer	rug-eux	g-oupille
ag-ir	mag-ie	dég-oûtant	g-énie
boug-er	épong-e	mag-asin	g-enon

GAI - GAL - GAR - GENRE DES NOMS - GRAM - GUÈRE

Remplacez les points de suspension par une consonne simple ou redoublée et accordez les articles ou les adjectifs aux noms auxquels ils se rapportent.

Zazie est une ga......ine qui ne s'embarrasse gu......e de politesse, de gravaire ou de ga......anterie.

Mais l'écouter est u...... antidote contre la tristesse et lire le roman de Queneau <u>Zazie dans le métro</u> est une ga......antie de gaîté.

Elle peut passer des après-midi entier...... à méditer dans les décombres poussiéreu...... d'une armoire qui sent l'encaustique fraî...... puis sortir dans crier ga......e, au triple ga......op, provoquer u...... esclandre dans le métro à l'heure de l'exode parisie...... et faire la gue......e aux immondices dégoûtant.......

-GER / -GUER (les verbes terminés par)

*Trouvez les verbes en **ger** ou **guer** qui se cachent derrière les définitions de charades suivantes puis écrivez-les correctement à la personne demandée.*

Mon 1er est un adverbe qui s'emploie avec « ne » pour exprimer une négation.

Mon 2ème est le contraire de "tard".

Mon 3ème est le fait de jeter, de lancer.

Mon tout est l'action de marcher dans une eau bourbeuse.

— Il ......   (verbe à l'imparfait)

Mon 1er est la deuxième lettre de l'alphabet.
Mon 2ème est le contraire de triste.
Mon tout est ce qui arrive à celui qui a des difficultés à articuler ou prononcer des mots.

— Il ......   (verbe au présent)

Mon 1er est le contraire de haut.
Mon 2ème est la forme familière de garçon.
Mon 3ème est la deuxième note de la gamme.
Mon tout est un verbe familier signifiant se battre, se quereller, se disputer.

— Vous vous ......   (verbe au présent)

Mon 1er est le masculin de "une".
Mon 2ème est le nom de notre planète.
Mon 3ème est le prénom Roger.
Mon tout est un verbe signifiant poser une question.

— Vous ......   (verbe au présent)

Mon 1er est le nom masculin de année.
Mon 2ème est la forme familière de garçon.
Mon 3ème est le fait de jeter, lancer.
Mon tout est un verbe signifiant commencer, entamer.

— Elle s'......   (verbe à l'imparfait)

Mon 1er est la 1ère lettre de l'alphabet.
Mon 2ème est la 10ème lettre de l'alphabet.
Mon 3ème n'est pas carré.
Mon tout est un verbe signifiant faire quelque chose, s'occuper.

— Nous ......   (verbe au présent)

Mon 1er est le contraire de faible.
Mon 2ème est le pronom personnel sujet de 1ère personne.
Mon 3ème est la 2ème note de la gamme.
Mon tout est un verbe signifiant "donner une forme au moyen du feu et du marteau, à un métal chaud".

— Vous ......   (verbe au futur)

Mon 1er est la quatrième note de la gamme.
Mon 2ème n'est pas mi, ni, si, mais ti.
Mon 3ème n'est pas triste.
Mon tout est un verbe signifiant "se donner du mal, de la peine".

— Elle se ......   (verbe à l'imparfait)

-GER / -GUER (verbes terminés par) _____

*Choisissez de mettre un **e** muet ou un **u** après le g dans les verbes suivants.*

elle nag-ait	elle plong-a	tu forg-as
je dégag-ais	il mang-ait	ils fatig-aient
il disting-ait	elles s'engag-aient	tu flag-olais

HIPPO / HYDRO / HYPO ─────────────────

Reliez les éléments des deux colonnes pour former des mots.
Exemple : hippo + campe = hippocampe.

	-gène
	-thèque
hippo	-cution
	-mel
hydro	-crisie
	-glisseur
	-phage
hypo	-thèse
	-drome
	-céphale
	-potame
	-dermique

MOTS INVARIABLES ─────────────────

Reliez les bulles par des flèches de façon à composer le maximum de
mots invariables, recopiez-les. Attention un élément peut être relié par
plusieurs autres. Nous avons compté 36 mots !

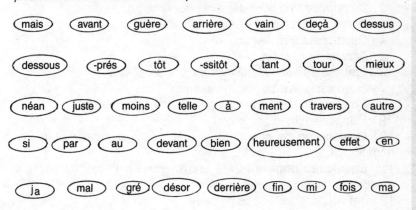

IM - IN - IS - IT - I

Remplissez cette grille en vous aidant des définitions correspondant aux numéros indiqués.

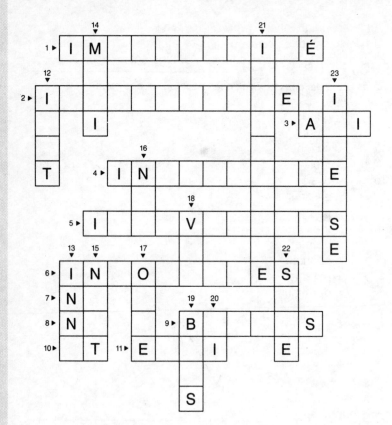

1 - Débilité, faiblesse, état de l'imbécile.

2 - De nombre trop considérable pour être compté.

3 - Personne avec laquelle on est lié d'amitié.

4 - Qui ne peut être vaincu.

5 - Actions innovantes.

6 - États de personnes qui ne sont pas coupables.

7 - Qui n'est couvert d'aucun vêtement.

8 - Conjonction négative correspondant à l'affirmatif **et**.

9 - Femelle adulte du mouton.

10 - Conjonction de coordination affirmative correspondant à la négation **ni**.

11 - Enveloppe dont la forme est adaptée à l'objet qu'elle est destinée à contenir - genre de gaine.

12 - Petit espace isolé ; très petite île.

13 - Ce que l'on a en naissant, dès la naissance.

14 - Équivalent latin du terme grec micro.

15 - Espace de temps qui s'écoule depuis le coucher du soleil jusqu'au lever du soleil.

16 - Adverbe indiquant une réponse négative.

17 - Un des cinq sens ; celui qui permet la perception des sons.

18 - Fait de vivre ; espace de temps compris entre la naissance et la mort d'un individu.

19 - Arbuste à feuilles persistantes souvent employé en bordure dans les jardins.

20 - Participe passé du verbe rire.

21 - Qui n'est pas légitime.

22 - Outil dont on se sert pour couper des matières dures et dont la lame doit être dentée.

23 - Qui n'a ni bornes ni mesures ; illimité.

IT / -I / -IS (participes passés ou verbes conjugués) ___

*Complétez, quand cela est nécessaire, les formes en -i par **s** ou **t**.*

1 - Bien mal acqui... ne profite jamais.

2 - Tel est pri... qui croyait prendre.

3 - Il a appri... son texte par cœur.

4 - Le roi a banni... son fils du royaume.

5 - Il admi... avoir été traître à sa patrie.

6 - Rien n'est fini.... Il suffi... d'entendre les canons.

7 - Le prince mi... toutes les chances de son côté.

8 - On a mi... le pays à feu et à sang.

9 - Il parti... sans se retourner.

10 - Il est admi... qu'ils ne doivent jamais revenir.

11 - Il a fini... comme un voleur.

12 - Son cousin lui a fourni... des armes.

CI-JOINT ___

Faites les accords nécessaires dans les phrases suivantes.

1 - Les pièces ci-joint... proviennent toutes de la mairie.

2 - Ci-joint... la copie de l'acte demandé.

3 - Vous trouverez ci-joint... la quittance de votre loyer.

4 - Les factures ci-joint... doivent être signées et renvoyées.

5 - Les témoins ci-présent... ont affirmé le contraire.

LEXIQUE J - K

Le typographe a confondu les lettres qui composaient le texte. À vous de les restituer correctement en vous aidant des mots figurant dans le lexique aux lettres J et K ; les mots fautifs sont soulignés.

Le jeûne chien japonais jape toutes les fois qu'il aperçoit des uniformes kaqui mais il parcourt des cilomètres malgré ses kilogs excessifs. Il ne respecte pas le jeune imposé par le vétérinaire, en particulier pour son déjeuner. Son maître sans jugeotte lui offre une kirielle de boulettes auxquelles le dogue ne peut renoncer.

LA - L'A - LÀ

*Complétez les phrases suivantes en employant **la**, **l'a** ou **là**.*

1 - L'amie de mon ami ...... raccompagné à ...... maison.

2 - ...... raison du plus fort est toujours ...... meilleure. Il me ...... prouvé tout à l'heure.

3 - Je ne vois ...... aucune malice.

4 - Il paraît qu'il ...... souvent dit : il sera ...... où elle sera.

5 - Jean ...... appris ......, brutalement, et...... nouvelle ...... terrassé.

6 - On ...... forcé à avouer, mais il n'était pas ...... au moment du drame.

7 - "Sa mort ...... fait connaître, il peut revenir maintenant." (Sacha Guitry).

8 - Elle ...... aimée mais elle ne veut plus ...... voir maintenant.

9 - Ici ou ...... c'est ...... même chose pour elle. Elle ...... rayé de sa vie.

LAM - LAN - LAR - LAT - LIM - LIT - LUT

Nous avons reçu "en kit" les éléments d'un dialogue étonnant à recomposer. D'un côté il y a des morceaux de phrases ; de l'autre des mots correspondant à chacune de ces phrases cocasses. À vous de reconstituer le puzzle.

1 - luthier - lutte
2 - luth - lutteur
3 - laryngite - langue - latent - litige
4 - langage - latitude
5 - littéralement - lutin - litanie
6 - larron - littérature

1 - "Les temps sont difficiles", dit un pauvre ...... à son fils. "En ces temps nouveaux c'est la ...... pour la vie."

2 - Prends ce ...... au son magique et va-t-en parcourir le monde. Et n'oublie pas qu'il faut être un ...... pour réussir dans la vie.

3 - Ces gens ne parlent pas la même ......, remarqua un témoin qui souffrait d'une ...... Le ...... est ......!

4 - Disons qu'ils n'emploient pas le même ......, renchérit un linguiste. Et pourtant ils vivent sous la même......

5 - Quelle attitude pouvons-nous adopter devant une telle ......? demande le ...... coquin. Tout cela est...... du latin de cuisine.

6 - Mais non ! C'est de la grande ......, rétorqua le ...... de foire. Et je m'y connais !

LEUR - LEURS

*Dites si l'orthographe de **leur**, **leurs** est correcte dans chaque phrase et restituez-la en cas d'erreur.*

1 - Les élèves font **leur** exercices d'ortographe.	exact faux
2 - Le maître **leur** a dit de bien réviser.	exact faux
3 - Et il **leurs** a souhaité bon courage.	exact faux
4 - Chloé et Charlotte voient les fautes des autres mais ne voient pas les **leurs**.	exact faux
5 - Il **leurs** faudra beaucoup de courage et de travail.	exact faux
6 - **Leurs** grande chance est de pouvoir préparer la dictée.	exact faux
7 - Il est à peine neuf heures et **leu**r fatigue est déjà grande.	exact faux
8 - **Leurs** notes ont été bonnes aux dernières dictées.	exact faux
9 - Il faudra le **leurs** dire.	exact faux
10 - Les anciens maîtres ne **leurs** avaient jamais expliqué les règles.	exact faux
11 - Le **leur** a beaucoup de patience.	exact faux
12 - Il **leurs** a fait faire beaucoup de progrès.	exact faux

$$\triangledown\!\!\!M$$

M - B - P

*Devant **m**, **b**, **p**, on écrit **m** et non pas **n**, mais il y a quelques exceptions. Voici une grille à compléter en observant le nombre de lettres. Attention le sens des mots à placer dans la grille est donné ci-dessous mais en désordre.*

- petit enfant - rondeurs - mettre dans sa poche - circulation automobile bloquée - cependant - l'éléphant s'asperge avec -

représentant officiel d'un pays - boîte de sucreries - domaine de l'empereur - glisser sur le sol - prendre avec soi - parvenir à la 1ère personne du pluriel du passé simple - envelopper dans un maillot - personne occupant un emploi - mettre dans un liquide.

```
 1-E- - - - - - - - - - - - -E    (en 13 lettres)
 2-B- - - - - - - - - - -E        (en 11 lettres)
 3-A- - - - - - - - - - -R        (en 11 lettres)
 4-E- - - - - - - - - - -R        (en 11 lettres)
 5-E- - - - - - - - - - T         (en 10 lettres)
 6-N- - - - - - - - - S           (en 9 lettres)
 7-P- - - - - - - - - S           (en 9 lettres)
 8-E- - - - - - - - R             (en 8 lettres)
 9-T- - - - - - - R               (en 7 lettres)
10-E- - - - - - - É               (en 7 lettres)
11-E- - - - - - - R               (en 7 lettres)
12-B- - - - - - N                 (en 6 lettres)
13-E- - - - - - E                 (en 6 lettres)
14-R- - - - - - R                 (en 6 lettres)
15-T- - - - - - E                 (en 6 lettres)
```

MAL - MAN - MAR

Complétez les mots suivants en vous aidant des définitions et des mots cités dans les règles orthographiques.

1 - Sort malheureux	(11 lettres)	M- - - - - - - - - - -N
2 - Contraire d'adresse	(10 lettres)	M- - - - - - - - - - E
3 - Arbre à marrons	(10 lettres)	M- - - - - - - - - - R
4 - Présente la mode	(9 lettres)	M- - - - - - - - - N
5 - Grosse valise	(5 lettres)	M- - - - - E
6 - Époux	(4 lettres)	M- - - - I
7 - Où nagent les canards	(4 lettres)	M- - - - E

MÊME / MÊMES

*Complétez les phrases suivantes en employant **même** ou **mêmes**.*

1 - Quand reviendras-tu ? dis-le moi, ... si cela n'est pas sûr !

2 - Nous ne savons pas nous ...... si nous reviendrons !

3 - N'y pense plus. Tu ne fais de tort qu'à toi ....

4 - ...... si tu revenais, je crois bien que rien n'y ferait ! ...... pas les meilleures promesses.

5 - En tout cas pas les ...... serments que la dernière fois.

6 - Ce sont toujours les ...... chansons ; les ...... balivernes ! ...... toi tu n'y crois plus !

7 - Les ...... choses, quand elles sont répétées, sont utiles car elles constituent le fondement ...... de tout apprentissage.

8 - Les connaissances sont en elles ...... des puissances.

MILLE - MILLION - MILLIARD

Écrivez en toutes lettres les nombres des phrases suivantes.

1 - Il y a 3.000.000.000 d'hommes sur la Terre : ...
2 - Il y a 55.000.000 de Français : ...
3 - J'en ai vu 36.000 chandelles ! : ...
4 - Je ne gagne pas des 1.000 et des cents : ...
5 - Préfères-tu jouer aux 1.000 bornes, au jeu des 1.000 francs ou écouter l'histoire des 1.001 nuits ? : ...
6 - On peut gagner jusqu'à 3.000 francs à ce jeu : ...
7 - "Le loto sportif, c'est facile, c'est pas cher et ça peut rapporter gros" : la preuve, la semaine dernière le gagnant a empoché 3.300.000.000 de centimes, soit 33.000.000 de francs : ...
8 - Tout cela se passait il y a 350.000.000 d'années, autrement dit 70.000.000 de lustres ! : ...

NAR - NAT - NN

Les copistes ont perdu 20 lettres en recopiant les 16 mots ci-après : 5 r, 5 t, 5 n, 5 m. À vous de les remettre en bonne place.

r

1 - na...ine
2 - na...ation
3 - na...quois
4 - na...cisse

t

5 - na...ation
6 - na...ion
7 - na...ure
8 - na...e

n

9 - ratio...alisme
10 - traditio...alisme
11 - ratio...alité
12 - ratio...el

m

13 - no...er
14 - no...inal
15 - no...ination
16 - no...enclature

NI - N'Y - NID

*Le typographe s'est parfois trompé dans l'orthographe de **ni**, **n'y**, **nid**. Effectuez les corrections au stylo rouge.*

1 - À Nice, au pays des merveilles, on ne boit pas que de l'eau. On **ni** boit aussi de l'anis.

2 - À Nîmes, comme on fait son **ni** on se couche. On n'a **ni** le temps **n'y** l'envie de se préoccuper de ce qui est accessoire.

3 - **Nie** Dieu, **nie** maître, proclament les anarchistes. **Ni** haine, **ni** violence, répondent les pacifistes et honni soit qui mal y pense.

4 - "Il **ni** y a vu que du feu", dit l'un "Oui et comme il **n'y** a pas de fumée sans feu", dit l'autre on est en plein brouillard !

5 - Mais Annie **ni** toute responsabilité dans l'affaire. Et il **n'y** a pas malice à cela.

6 - Il **ni** a pas d'amour heureux, disent les pessimistes. Il **n'y** a pas de bonheur sans malheur, répondent les adeptes d'Azaïs, en mangeant des **nids** d'hirondelles.

NOTRE - NÔTRE - VOTRE - VÔTRE

Notre copiste a omis 6 accents circonflexes en recopiant cette carte postale de vacances. À vous de les restituer.

Chers amis,

Comme vous le devinez sans doute en observant <u>notre</u> carte postale nous passons de merveilleuses vacances.

<u>Notre</u> vie ici est une sorte de long fleuve tranquille qui s'écoulerait sans <u>notre</u> permission. C'est dire à quel point l'insoutenable légèreté de <u>notre</u> être nous pèse, réduits comme nous le sommes à devoir vivre en maillot de bain. Il paraît que c'est à des "je ne sais quoi" et à des "presque rien" comme cela qu'on reconnaît des déclins comme les <u>notres</u>.

Les <u>notres</u>, pas les <u>votres</u> !

Nos vacances se passent donc pour le mieux. Mais comment ont débuté les <u>votres</u> ? Avez-vous finalement trouvé une pension pour <u>votre</u> chien et pour <u>votre</u> chat ?

Les <u>notres</u> sont restés avec nous et nous nous en réjouissons.

Nous parlerons de tout cela bientôt ainsi que de <u>notre</u> rencontre avec cet homme remarquable dont nous vous avons déjà dit deux mots.

Amitiés à vous et aux <u>votres</u>.

Fidèlement <u>votres</u>. C et F.

P.S. La réponse à cette carte se trouve en "O" (ou/où).

O - AU - AUD - AUT - AUX - EAUX - OC - OP - OS - OT

La roue centrale est composée de dix façons d'orthographier le son o final. Elle est entourée de quatre cercles comportants des mots en o à compléter : le premier cercle pour des mots de quatre lettres, le deuxième pour des mots de cinq lettres, le troisième pour des mots de six lettres, le quatrième pour des mots de sept, huit, neuf et dix lettres.
À vous de jouer !

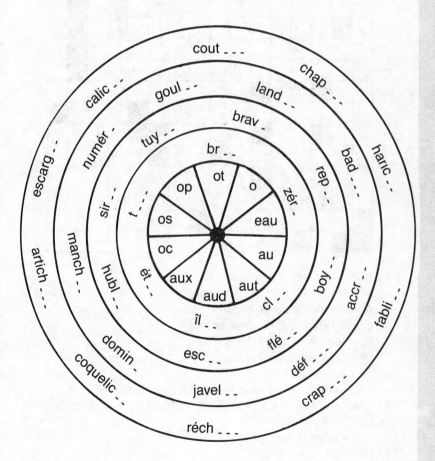

OCC - OFF - OIR - OIRE

*Faites le tour des mots en **occ, off, oir, oire** en 81 tours !*
Remplissez la grille en vous aidant des définitions.

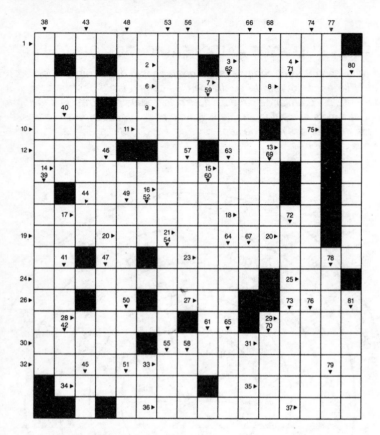

1 - Suite de questions (au pluriel).
2 - Abréviation de Parti Républicain.
3 - Abréviation de poids lourds.
4 - Ôter à l'envers et en deux lettres.
5 - Tempête, tonnerre, éclairs.
6 - Participe passé du verbe avoir.
7 - Abréviation de Neuilly-Passy.
8 - 3ème personne du singulier du présent du verbe "luire".
9 - Inventaire méthodique, liste, catalogue alphabétique ou logique.
10 - Place dans un groupe.
11 - Participe passé féminin du verbe tasser.
12 - Belle saison.
13 - Abréviation de Sa Majesté.
14 - Voir, imaginer, organiser d'avance.

15 - 2ème personne du singulier de l'impératif du verbe "oser".
16 - Exécuter, procéder, pratiquer, intervenir.
17 - Provoquer la surprise, un bouleversement, ébranler.
18 - Abréviation de renseignements généraux ou de Hergé (père de Tintin).
19 - Meuble destiné au coucher.
20 - 5ème voyelle et 21ème lettre de l'alphabet.
21 - Terminaison de l'infinitif des verbes du 1er groupe.
22 - Conjonction négative.
23 - Donner en cadeau.
24 - Qui se rencontre par hasard, fortuit, inhabituel.
25 - Interjection.
26 - Adjectif possessif de 2ème personne du singulier.
27 - Terminaison féminine de participe passé de verbe du 1er groupe.
28 - Avec ou sans fleur, ce sont des légumes.
29 - Blanche ou noire elle fait de la musique.
30 - Déambuler, flâner sans but.
31 - Exprimer son opinion par son suffrage.
32 - Participe passé du verbe rire.
33 - Personne qui aime sa patrie et la sert avec dévouement.
34 - On les met à terre pour prier, implorer, demander pardon.
35 - On met les genoux dessus pour prier, implorer, demander pardon.
36 - Participe passé féminin singulier du verbe "tenter".
37 - Au-dessus de la Terre (élémentaire !).
38 - Matière blanche constituant les défenses de l'éléphant.
39 - Agiter, balancer, remuer, secouer, cahoter.
40 - Abréviation de l'Association du Tennis Professionnel.
41 - Abréviation de cela.
42 - Participe passé masculin singulier du verbe rire.
43 - Errer, vagabonder, tirer après soi.
44 - Conjonction de coordination.
45 - Abréviation de "gentil organisateur" (au Club Méditerranée).
46 - 3ème personne du singulier du passé simple du verbe "avoir".
47 - 2ème personne du singulier de l'impératif du verbe "acheter".
48 - Pas grand-chose.
49 - Il ne faut pas vendre sa peau avant de l'avoir tué !
50 - Conjonction de coordination, métal précieux.
51 - Ni ni ; ni nie ; n'y !
52 - Comme un ver.
53 - Addition, soustraction, multiplication, division…
54 - On les cherche dans la tête.
55 - 3ème personne du singulier du passé simple du verbe "pouvoir".
56 - Machines de levage pour construire des bâtiments.
57 - Père dans le désordre.

58 - Ligne de rotation.

59 - Abréviation de Parti Socialiste.

60 - Qui contient des erreurs.

61 - Anciennement, première note de la gamme.

62 - Participe passé féminin singulier de naître.

63 - Métal précieux.

64 - Morgane ou Carabosse, elle a des doigts et une baguette magiques.

65 - Entre le pas et le galop.

66 - Presser fortement sur la poitrine, étouffer, accabler.

67 - Eiffel en deux lettres.

68 - Pronom personnel sujet de 3ème personne du masculin singulier.

69 - Région du Sahara couverte de dunes.

70 - Exhortation impérative à mettre son bulletin dans l'urne (2ème personne du singulier).

71 - Au moment de, à l'époque de.

72 - Ni n'y ; ni nid ; ni !

73 - Exhortation impérative à écrire (2ème personne du singulier).

74 - Enveloppe, gaine.

75 - Ceux qui apprennent par cœur doivent en avoir.

76 - 3ème personne du singulier du futur de l'indicatif du verbe "ôter".

77 - Déclin du jour, tombée de la nuit !

78 - Personne qui offre l'hospitalité (à ne pas confondre avec "haute").

79 - Participe passé masculin singulier du verbe "rire".

80 - Quand vous en recevez un coup c'est que l'on a fait votre numéro.

81 - Article 30 !

ON / ON / N'ONT

Dans ces quelques proverbes ou pastiches de proverbes, corrigez les fautes au stylo rouge, si besoin est.

1 - On a souvent besoin d'un plus petit que soi.

2 - On est jamais si bien servi que par soi-même.

3 - Si l'on est pas parti au moment opportun, il est inutile de courir.

4 - On n'attire pas les mouches avec du vinaigre.

5 - On n'a rien sans rien ! ont-ils déclaré.

6 - On n'a tout avec tout ! ont-ils répondu.

7 - Quand on a l'idée d'aller loin, on n'essaie de ménager sa monture.

8 - On n'a dit que l'argent ne faisait pas le bonheur mais on a l'habitude d'ajouter qu'il y contribue.

9 - Au royaume des aveugles on espère des rois borgnes.

10 - Pour arriver à l'heure on n'a qu'à partir à l'heure.

11 - On a beau dire, on n'a beau faire, ils on toujours le dernier mot.

-OU (les noms terminés par)

*Complétez - si nécessaire - les noms suivants terminés par **ou** avec les lettres **e, t, p, x.***

une bou-	un lou-	un trou-	un bijou-
une rou-	un sou-	un hibou-	un écrou-
une tou-	un caillou-	un dégoû-	un mérou-
une prou-	un bambou-	un genou-	un amadou-

OU - OÙ

*Notre copiste a encore (!) omis six accents graves en recopiant la réponse à la carte postale envoyée en **"N" (notre/nôtre)** par C et F. À vous de les remettre sur les "où" chaque fois que cela est nécessaire.*

Chers amis,

Nous avons bien reçu votre gentille carte de Nisseille (ou bien est-ce de Marce ?) ou vous semblez passer d'excellentes vacances.

Les nôtres ont commencé ... d'une façon affreuse.

Il pleut ou il fait froid depuis le début du séjour. Nous aimerions bien quitter cet endroit mais ou aller maintenant ou tout doit être complet partout ?

De plus nous n'avons pas trouvé ou faire garder notre chien et notre chat et nous avons dû les amener dans ce studio exigu et sombre ou ils ne se plaisent pas du tout : ou ils aboient et miaulent toute la journée ou ils tournent en rond sans savoir ou se mettre.

Un véritable cauchemar ou un film d'horreur si l'on préfère.

Vivement la fin des vacances ! On se reverra fin août ou début septembre. Bises humides ou fraîches selon !

Dom et Phil.

PARTICIPE PASSÉ (accord)

Vous êtes un patron de presse. Vous avez passé une petite annonce parce que vous recherchez un rédacteur talentueux et surtout ayant une excellente orthographe. L'un de vos critères de sélection est la connaissance des accords des participes passés. Faites la chasse aux fautes dans cette lettre et dites si vous retenez cette candidature (élimination à cinq fautes et plus !).

Monsieur le Directeur,

En réponse à l'offre d'emploi qui a parue hier dans la presse, j'ai l'honneur de faire acte de candidature pour le poste de rédactrice dans le service de votre journal. J'ai étudiée deux ans le français à l'université et les études que j'ai engagées depuis une année en Information et Communication m'ont donné à penser que j'étais destinée à réussir dans ce genre d'emploi.

D'autre part, j'ai déjà travaillé à plusieurs reprises dans des services de presse et j'ai été amenée également à effectuer plusieurs stages en responsabilité qui m'ont énormément plue.

J'ai même accédé au poste de rédactrice en chef ... il est vrai en temps que remplaçante et pour vingt-quatre heures seulement.

Certes, je ne suis ni recommandée, ni appuyé, ni pistonnée et si j'ai saisie, que dis-je ?, si j'ai bondie sur l'occasion c'est que je suis extrêmement motivé par ce type de travail.

Dans l'espoir que ma candidature sera sélectionnée, voire retenue, et dans l'espoir qu'une réponse positive pourra m'être adressée rapidement, je vous prie de croire, Monsieur le Directeur, à l'expression d'une considération qui est toujours distinguée.

Marie Brion.

PRÈS DE / PRÊT À

Sont-ils décidés, disposés ou proches ? À vous d'adapter l'orthographe de **près de**, **prêt à** *à la situation. Pour vous aider, une petite malice devrait vous permettre de trouver d'une façon certaine la bonne solution.*

1 - Le président est ...... son premier ministre.
2 - Le prêtre est ...... prier.
3 - La manette de pression est ...... l'interrupteur.
4 - Votre prêt est ...... à la banque, vous pouvez passer le prendre.
5 - Son prétendant est ...... tout pour se marier avec elle.
6 - Le prestige est ...... la gloire.
7 - Son magnifique présent est ...... l'arbre de Noël.
8 - Ce malheureux présage est ...... la prophérie.
9 - Il a invoqué de fallacieux prétextes mais en réalité il est ...... nous trahir.

P (lettre intercalée)

Écrivez six mots contenant la lettre **p** *alors que cette lettre ne se prononce pas.*

....
....

PAL - PAN - PAR - PAT - PEL - PIT - POL

Les mots commençant par **pal**, **pan**, **par**, **pat**, **pel**, **pit**, **pol**, *redoublent parfois mais pas toujours la consonne.*
Complétez les mots d'après leur sens indiqué ci-dessous.

1 - Dissimuler, cacher, atténuer faute de remède véritable.

2 - Jouet d'enfant.
3 - Récit allégorique des Livres saints derrière lequel se cache un enseignement.
4 - Réceptacle qui sert à contenir et à transporter des provisions.
5 - Celui qui tient un enfant sur les fronts du baptême.
6 - Plate-forme entre deux volées d'escalier.
7 - Marcher dans une eau boueuse.
8 - Membre qui sert à la marche chez l'animal.
9 - Maladie infectieuse provoquée par la piqûre de certains moustiques.
10 - Ration, nourriture.
11 - Qui est digne d'être peint ; qui attire l'attention.
12 - Personne qui appartient à un service de police.
13 - Action de polluer.

1 - Pa...ier
2 - Pa...oplie
3 - Pa...abole
4 - Pa...ier
5 - Pa...ain
6 - Pa...ier
7 - Pa...auger
8 - Pa...e
9 - Pa...udisme
10 - Pi...ance
11 - Pi...oresque
12 - Po...icier
13 - Po...ution

LE PLURIEL DES NOMS

1 - Mettez les noms suivants au pluriel :

une pièce	une herbe	un tuyau	une fille
un plafond	un stylo	un prix	un caillou
un bébé	un téléphone	un champ	un feu
un jardin	un journal	un soleil	une fleur
un enjeu	un bal	un numéro	un bail
un bateau	un verrou	un vœu	un cri
un travail	un chien	un nez	une chanson
une fable	un loup	un aîné	une perdrix

2 - Donnez le singulier des noms suivants :

des moutons	des vêpres	des chevaux	des voix
des poids	des fermières	des confetti	des haricots
des mesures	des amis	des héros	des tas
des honoraires	des ténèbres	des animaux	des maxima

PLURIEL DES NOMS COMPOSÉS

Des wagons-forts, des coffres-restaurants, des on-dents et des cure-dit !
Les noms composés ont divorcé momentanément. À vous de les mettre en ordre :
1) en rétablissant les couples d'origine.
2) en mettant toutes les expressions au pluriel.
N.B. : Rien ne vous empêche d'imaginer d'autres objets introuvables en accouplant des mots qui n'étaient pas destinés à vivre ensemble.

wagon	-	plein
coffre	-	fou
on	-	goutte
cure	-	cas
compte	-	sang
en	-	dent
terre	-	restaurant
pur	-	dit
garde	-	fort
timbre	-	cour
basse	-	poste

PLUS TÔT / PLUTÔT

*Dans les phrases suivantes choisissez d'écrire **plus tôt** ou **plutôt**.*

1 - ...... ce sera, mieux ce sera !

2 - ...... mourir que sortir d'ici !

3 - Il est ...... que tu ne penses !

4 - Je serai là à deux heures, au ...... à deux heures moins le quart.

5 - La future mariée est arrivée à la mairie ...... que son futur époux.

6 - Ajoute un peu de bleu à ton dessin. Oh et puis non, ... du vert.

7 - Prends à gauche ...... que tout droit.

8 - Elle est arrivée ...... que prévu.

9 - ...... tu auras fini ton travail, ... tu t'amuseras.

10 - Je fais cet exercice ...... que l'autre.

PRONOMS RELATIFS

Nous avons repris ici des phrases citées dans la règle sur les pronoms relatifs. Mais ceux-ci ont été volontairement oubliés. À vous de les compléter en vous reportant éventuellement à la partie "règles".

1 - Le château dans ...... il réside.

2 - Les personnes avec ...... j'ai parlé.

3 - C'est une personne ...... je me souviens bien.

4 - Les livres ...... je me suis intéressé.

5 - L'amie avec ...... j'ai fait le tour du monde.

6 - Je connais la ville ...... elle est née.

7 - Il y avait plusieurs enfants parmi ...... j'ai reconnu ceux des voisins.

8 - Les idées ...... je fais allusion.
9 - ...... sera surpris sera puni.
10 - ...... veut voyager loin ménage sa monture.
11 - C'est une musique ...... je pense souvent.
12 - Le financier sur l'argent ...... je comptais.

QUAND/QUANT - QUEL/QUELLE/QU'ELLE - QUELQUE/QUEL QUE - QUOIQUE/QUOI QUE _____

*Marie est furieuse. Sa candidature a été refusée. Mais si ce patron excelle sur l'accord des participes passés, son orthographe est beaucoup plus incertaine quand il s'agit de **quand/quant**, **quel/quelle/qu'elle**, **quelque/quel que**, **quoique/quoi que**. Marie a donc décidé de renvoyer sa lettre à ce malotru en soulignant au feutre rouge les fautes. Mais pouvez-vous l'aider ?*

Mademoiselle,

Je reçois ce jour votre lettre de candidature pour le poste de rédactrice dans notre journal. Quoique le ton de votre lettre soit charmant et quelles que soient vos immenses qualités, je suis obligé de vous avouer que les quelques six fautes d'accord de participes passés me paraissent rédhibitoires et cela quoique je ne passe aucunement pour un puriste forcené.

En effet, quoi que je ne cherche pas à recruter un champion d'orthographe toutes catégories certifié par monsieur Bernard Pivot, j'ai quand même besoin d'une collaboratrice solide sur la question et selon toute vraisemblance, quoique vous fassiez, il y a peu de chances que vous vous amélioriez !

Quand à votre style, quelle mouche vous a piquée ?

Il est tout simplement déplorable ! quel galimatias !

Quand on se pique de travailler dans un journal, quelqu'il soit, et quoi que l'on en pense, l'on doit avoir quelques exigences en la matière. C'est une question d'honneur. Et il n'y a pas à en débattre, quoi que l'on puisse en penser par ailleurs !

Quelles sont vos exigences ? Qu'elles sont vos prétentions ? Démesurées, tout simplement. Et quoique votre lettre soit à désespérer nos bons maîtres de l'Ecole Républicaine, j'ai choisi quant à moi d'en rire, d'en rire d'un rire démesuré qui, quoi que vous fassiez dans le futur et quel que fautes que vous puissiez dorénavant commettre, sera inextinguible.

Bob Sansair.

RAB - RAC - RAM - REM - REN _____

Trouvez :

Quatre mots commençant par rab avec un b : ...
Deux mots   "   rab avec deux b : ...
Trois mots   "   rac avec un c : ...
Deux mots   "   rac avec deux c : ...
Quatre mots   "   ram avec un m : ...
Trois mots   "   rem avec un m : ...
Trois mots   "   rem avec deux m : ...
Deux mots   "   ren avec un n : ...
Un mot   "   ren avec deux n : ...

-RAI / -RAIS (futur de l'indicatif/présent du conditionnel)

*Complétez les verbes des phrases suivantes par la première personne du singulier du futur de l'indicatif ou du présent du conditionnel (-**ai** ou -**ais**).*

1 - Je voudr...... aller où tu iras.
2 - J'ir...... où tu voudras, quand tu voudras.
3 - J'ir...... mieux si je faisais davantage de sport.
4 - Je fer...... davantage de sport si j'allais mieux.
5 - Je passer...... te voir à midi.
6 - Si tu passais à midi, je risquer...... de ne pas être là.

SI - S'IL - S'Y _____

*Voici quelques expressions, maximes, citations, ou parties dialoguées dans lesquelles figurent **si**, **s'il**, **s'y**. Abandonnez votre scie, et saisissez-vous de votre stylo pour combler les trous !*

1 - Avec des ...... on mettrait Paris dans une bouteille ! ......, je t'assure.
2 - ...... je ne me trompe pas, celui qui ...... frotte...... pique ? ...... on veut !

3 - "Le nez de Cléopâtre ; ...... eût été plus court , toute la face de la Terre aurait changé" (Pascal).

4 - "Souvent femme varie, bien fol est qui ...... fie" prétend Victor Hugo, et il ...... connaît !

5 - "...... n'en reste qu'un je serai celui-là", a-t-il dit aussi. Incontestablement, il ...... entend !

6 - "J'ai plus de souvenirs que ...... j'avais mille ans" (Charles Baudelaire).

7 - "...... ce n'est toi, c'est donc ton frère", dit le loup de La Fontaine à l'agneau ...... paniqué qu'il ne pense même pas à se sauver. "...... on veut ", songe l'agneau, c'est l'éternel paradoxe de l'autre et du même!

8 - "Le coup passa ...... près que le chapeau tomba" (Victor Hugo).

9 - On n'est jamais ...... bien servi que par soi-même.

10 - ...... toi aussi tu scies la branche sur laquelle tu es assis, il ne restera personne.

11 - ...... toi aussi tu m'abandonnes, je vendrai tout ; il faudra ...... résigner.

12 - "...... tu peux voir détruit l'ouvrage de ta vie et sans dire un seul mot te mettre à rebâtir" (Rudyard Kipling).

DIFFICULTÉS DU S

Les trente-trois mots soulignés représentent trente-trois points sensibles de l'orthographe évoqués à la lettre S. Parmi ceux-là un professeur de Français a relevé dix fautes. Saurez-vous les dépister et rétablir le bon usage en écrivant le mot correct sur les pointillés ?

Monsieur le Préfet,

Sur le conseil de l'un de vos chargés de mission ...., je prends la liberté de soumettre sollenellement .... à votre attention .... un cas litigieux concernant une prétendue infracsion .... ayant donné lieu à une contravention ....

Le procès-verbal, établi soit .... par un agent de la circulation .... soi .... par un gendarme, fait état du stationnement de mon véhicule sur un passage pour piétons. Or je tiens à porter à votre connaissance que :

1) Lorsque j'ai quitté ma voiture, son stationnement ne souffrait .... aucune irrégularité.

2) Mais lorsque je l'ai retrouvée une heure plus tard, elle mordait effectivement sur les clous, ce qui n'est pas grave en soit ...., mais j'avais un petit papillon sur le pare-brise.

Quelle conclusion pouvais-je en déduire ? Soit .... que l'automobiliste sans-gêne .... garé derrière avait poussé sans précaution .... mon véhicule pour se dégager d'une situation .... délicate, soit .... que l'agent de police l'avait fait

lui-même pour pouvoir justifier une <u>contravention</u> ....,
<u>suppercherie</u> .... que je ne peux imaginer bien évidemment.

Dois-je donc <u>soufrir</u> .... et payer pour les mauvaises <u>intentions</u>.......... d'un autre ?

J'aurais volontiers demandé une <u>réparation</u> .... morale et financière à l'automobiliste indélicat s'il avait eu la courtoisie de me laisser sa carte de visite.

Malheureusement tel n'a pas été le cas. C'est pourquoi je réclame la <u>rémition</u> .... de cette amende, avec votre <u>autorisation</u> .... <u>suppérieure</u> ....

Je vous signale en outre que je dispose d'une <u>permission</u> .... spéciale de stationnement délivrée aux riverains par <u>l'administration</u> .... de la commune.

La <u>sollicitation</u> .... que j'exprime à votre <u>intention</u> .... s'exprime avec d'autant plus de <u>passion</u> .... que je n'ai aucune <u>propention</u> .... à enfreindre la loi.

Dans l'espoir que ma demande sera prise en <u>considérassion</u> ... et que mon <u>argumentation</u> .... vous aura paru sincère et <u>suffisante</u> ...., je vous prie de croire, Monsieur le Préfet, à <u>l'expression</u> .... de mes sentiments distingués.

Daniel Leblanc

TEL / TELLE - TEL QUEL / TEL QU'ELLE

Complétez les phrases suivantes par la forme qui convient.

1 - ... mère, ... fille.

2 - Il a fait un ... chahut que le directeur est venu.

3 - De ... tableaux devraient être dans un musée.

4 - Des bateaux ... que le sien ne devraient pas voguer.

5 - ... me l'a présentée son histoire est crédible.

6 - Il m'a prêté sa voiture ...

7 - Je suis citoyenne de ce pays et comme ... je réclame la parole.

8 - On n'a jamais vu une ... révolution.

9 - Elles pouvaient rester assises là sans bouger ... des bûches.

10 - "Dormir, dormir", ... furent ses derniers mots.

-T /-TT (les verbes en -eter et en -eler)

Complétez le tableau suivant en indiquant :
1) si oui ou non les consonnes *l* et *t* peuvent être redoublées pour le verbe considéré.
2) si oui ou non le verbe prend un accent sur le *e*.
3) la forme finale du verbe accordé au temps et à la personne indiqués en début de ligne.

Temps de l'indicatif	pers.	verbe	double parfois la consonne : *oui* - ne double jamais : *non*	prend parfois un accent : *oui* - ne prend pas d'accent : *non*	forme finale
Présent	je	appeler	oui	non	j'appelle
Présent	tu	acheter			
Présent	nous	héler			
Présent	vous	geler			
Présent	elle	jeter			
Imparfait	il	haleter			
Imparfait	ils	s'entêter			
Imparfait	elles	déceler			
Futur	je	étiqueter			
Futur	nous	peler			
Futur	vous	épousseter			
P. simple	tu	s'endetter			
P. simple	elle	marteler			
Présent	tu	brouetter			
Imparfait	nous	seller			
P. simple	ils	sceller			

TOUS / TOUT

Marie tient son journal intime. Aujourd'hui un heureux événement s'est produit au village. Encore sous le choc, elle a écrit ces lignes. Ce soir elle s'est relue et a souligné certains mots pour lesquels elle a des doutes.
À vous de l'aider en corrigeant, si besoin est, les mots soulignés. Nous avons dénombré quatorze fautes ... en tout !!!

Un beau bébé <u>tout</u> rose venait de naître. C'était le <u>tout</u> premier, un garçon ! Il n'avait pour <u>tout</u> vêtement que les longs cheveux de sa maman. <u>Tous</u> rayonnaient de joie et <u>tout</u> un chacun commentait à sa manière l'événement encore tout frais, tout neuf. Les sœurs <u>tarrabustaient</u> leur père pour être <u>tollérées</u> dans la chambre et la belle-mère taraudait son gendre pour qu'il sorte avec ses filles. <u>Toutes</u> les commères du village étaient présentes et s'en donnaient à cœur joie.

- C'est <u>tous</u> le portrait de son père ! dit la première.

- Pour <u>tout</u> dire oui, approuva fielleusement la deuxième, avec un petit air de monsieur <u>tous</u> le monde.

- <u>Tout</u> juste, renchérit une troisième, mais il faut que ce soit <u>tout</u> l'un ou <u>tout</u> l'autre...

- En <u>tous</u> cas, il est mignon ! À <u>tout</u> malheur quelque chose est bon ! ajouta une autre.

- Et <u>toutes</u> peine mérite salaire ! conclut la dernière.

- <u>Toutes</u> les mêmes, des langues de vipère, bougonna un vieil homme surnommé Archimède. Il faudrait leur interdire <u>tous</u> accès aux maisons où il y a du bonheur. Et verbaliser <u>tout</u> de suite en cas d'infraction : <u>toutes</u> commère prise en flagrant délit de médisance sera immédiatement jetée à l'eau... Et comme <u>tous</u> corps plongé dans l'eau ressort <u>tout</u> mouillé, on serait tranquille pour un moment. <u>Tout</u> chat échaudé craint l'eau froide...

<u>Tout</u> les habitants avaient entendu Archimède et <u>tout</u> le village colportait maintenant la tirade du vieil homme. À <u>tout</u> les coins de rue on se répétait les plaisanteries et de <u>tous</u> côtés la bonne humeur s'enflait.

On avait même l'impression que <u>tout</u> les bateaux et <u>tout</u> les oiseaux du pays participaient à la liesse par leurs sirènes et leurs jacasseries.

Mais on s'habitue à <u>tout</u>, et <u>tout</u> lasse, <u>tout</u> passe, <u>tout</u> casse, même la joie.

<u>Tous</u> repartirent à leurs occupations.

Archimède eut les <u>tous</u> derniers mots de l'histoire :

"<u>Tout</u> est bien qui commence bien, philosopha-t-il, car <u>tout</u> le reste est littérature !"

U

Le propriétaire de cet agenda "diplomatique" a commis des fautes d'orthographe dans les mots écrits en gras. À vous de les corriger si besoin est !

L'**unique brue** du **consul** qui vient de se casser le col du **fémur** a été **hulcérée** par mon ultime appel de la côte d'**Azure**. Pourtant, avec le **recule**, je n'avais fait que lui souhaiter la **bienvenue** et lui dire que je crois à la **vertue unniverselle** du proverbe "Il ne faut pas mettre la **charrue** avant les bœufs".

Je la rappellerai **ulltérieurement**.

-UT / -U (participes passés ou verbes conjugués)

Complétez les phrases suivantes en mettant le verbe entre parenthèses à la forme qui convient **-ut** ou **u**.
Attention à bien faire les accords des participes passés !

1 - Il ... son verre d'une traite et sortit (boire).
2 - "Qui a ..., boira", dit le proverbe (boire).
3 - Elles ont été très ... par son attitude (décevoir).
4 - Elle est l'... de mon cœur (élire).
5 - Cela ... une très bonne soirée (être).
6 - Il ... lui montrer le ciel étoilé (vouloir).
7 - Au milieu du pré on pouvait distinguer un arbre ... (tordre).
8 - Elle n'est pas ... quand il l'a ... (venir, vouloir).
9 - Il ... qu'elle était fâchée (croire).
10 - Elle lui en ... à mort (vouloir).

V

Chaque étage de la pyramide comporte deux mots ayant le même nombre de lettres. À vous d'y classer les mots suivants :
verroteries - verrou - véritable - val - vélo - velours - velléitaire - vanilliers - vingt - ver - valet - voir - vallonnées - vanille - velléité - valise - vannerie - véridique.

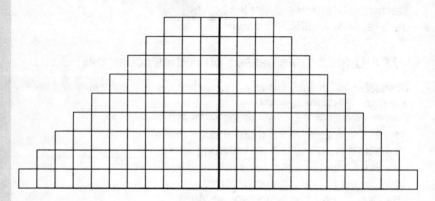

Verbe (accord du)

Dans les phrases suivantes accordez les verbes, au présent de l'indicatif, à leur(s) sujet(s) :
1 - En ce matin radieux, le soleil brill…, les oiseaux chant….
2 - Tout le monde est de bonne humeur et chantonn….
3 - Le voisin accord… son violon et jou… des gammes.
4 - Au loin le carillon de la mairie sonn… ses neuf coups.
5 - Chloé et Charlotte confectionn… une tarte aux pommes.
6 - Tout à l'heure elles fêter… l'anniversaire de leur maman (verbe au futur de l'indicatif).
7 - De bonnes odeurs de cuisine mont… de toutes parts et chacun se lèch… déjà les babines.
8 - Au loin retentiss… des rires joyeux.
9 - Yves Montand fredonn… à la radio la chanson de Prévert et Kosma "Les feuilles mortes se ramass… à la pelle".

10 - "Pass... les jours et pass... les semaines ni temps passé ni les amours revienn.... Sous le pont Mirabeau coul... la Seine", lui répond... aussitôt Guillaume Apollinaire et Léo Ferré.

VINGT

Lisez la grille horizontalement, verticalement puis écrivez les nombres en toutes lettres.

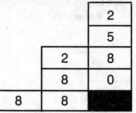

VOIR - VOIRE

*Complétez les phrases suivantes on choisissant d'écrire **voir** ou **voire**. La somme des réponses doit être vingt-six lettres.*

1 - Je dois le ...... demain.
2 - Il m'en fait ...... de toutes les couleurs.
3 - Elle est gentille, ... adorable.
4 - Je ne peux pas le ....
5 - Il peut faire chaud, ... très chaud.
6 - Il m'a promis de ...... ce film.

X

*Écrivez pour chacune des définitions suivantes le mot lui correspondant. Le mot contient un **x**.*

Exemple : Adjectif qui qualifie un travail ; une remarque ou un aspect très appréciés : excellent.

1 - Ce qui dépasse une quantité ; une trop grande quantité ; action qui dépasse les limites permises : un ...
2 - Action de retirer ; ce qui est en dehors du commun, en dehors du général : une ...
3 - Cri, paroles brusques exprimant de façon spontanée une émotion, un sentiment : une ...
4 - Raison avancée pour expliquer ou atténuer une faute ; un regret que l'on témoigne à quelqu'un pour l'avoir offensé, contrarié, gêné : une ...
5 - Changement subit d'accent ou de ton dans la voix ; mouvement par lequel une chose s'infléchit : une ...

Y

Après avoir supprimé l'intrus de chaque colonne, écrivez les verbes restants aux personnes et aux temps indiqués dans le tableau.

foudroyer	balayer	essuyer
broyer	bâiller	ennuyer
effeuiller	effrayer	boitiller
relayer	envoyer	aboyer

Présent indicatif 1ère personne sing.	Futur indicatif 1ère personne plur.	Imparfait indicatif 2ème personne plur.
EXEMPLE : - Je foudroie	- Nous foudroierons	- Vous foudroyiez
....	....	....
....	....	....
....	....	....
....	....	....
....	....	....
....	....	....
....	....	....
....	....	....
....	....	....

Z

a) Complétez les mots suivants à l'aide d'un **s** ou d'un **z** dans chaque colonne.

bi...arre	maga...ine	tré...or	mai...on
maga...in	ne...	ba...ar	ma...ure
...éphyr	ha...ard	...este	ma...out
...one	lé...ard	lé...arde	...oo

b) Écrivez les nombres suivants :

12 ....   14 ....   15 ....   16 ....

DICTÉES

Les dix-sept textes suivants sont des dictées ; mais nous avons voulu qu'ils soient un peu plus que de simples dictées en pariant sur le fait que l'étudiant ferait un peu moins de fautes d'orthographe s'il y trouvait un intérêt et du plaisir. Textes plaisants donc — autant que faire se peut — et textes brossant des petits tableaux sans prétention de la civilisation française.

Leur longueur, leur niveau de compréhension, leur compétence orthographique sont différents : assez courts et faciles dans les premières lettres de l'alphabet, ils deviennent de plus en plus longs et ardus vers la fin.

C'est dire qu'il n'est pas inutile :

1- de préparer les textes par un travail d'appoint en civilisation en s'aidant des orientations données dans le livret de corrigés ;
2- de segmenter la dictée des textes, lesquels peuvent d'ailleurs être préalablement enregistrés au magnétophone si l'étudiant doit travailler seul.
Chaque dictée reprend les difficultés orthographiques énoncées dans une ou plusieurs lettres et met en œuvre une partie des mots de vocabulaire figurant dans le lexique. L'évaluation de la compétence orthographique pourra donc se faire en fonction de ces seules règles concernées. Mais bien évidemment l'on sera supposé connaître les règles des lettres A et B si l'on se trouve à la lettre C.

A

Il est préférable d'écrire au tableau ou d'épeler les noms de lieux et les mots difficiles.

D'aucuns affirment que Paris est à la France ce que la France est à l'Europe : un carrefour des peuples et des cultures ; le rendez-vous des amoureux ! Capitale accomplie, elle attache son nom à la tradition et à la modernité qu'elle affiche dans le quartier des affaires de la Défense, au centre Beaubourg, au Forum des Halles ou à la Cité des Sciences de la Villette.

Mais il faut que Paris ait d'autres attraits pour accaparer ainsi les touristes du monde entier qui applaudissent aux splendeurs du nouveau Louvre, de Notre-Dame et de la Conciergerie.

Du haut de la Tour Eiffel, de la Tour Montparnasse ou de l'Arc de Triomphe on peut apercevoir par un beau jour d'été l'ensemble de l'agglomération parisienne. Mais il faut aussi apprendre à flâner le long des quais de la Seine dans l'île de la Cité, s'attarder aux terrasses des cafés du Quartier Latin ou des Champs-Elysées pour prendre l'apéritif et saisir l'atmosphère unique de cette ville qui a été si souvent chantée.

B

Aujourd'hui, c'est le 14 Juillet. La France fête la prise de la Bastille de 1789, premier jour de la Révolution. Sur toutes les places des villes et des villages, des baraques et des estrades ont été dressées pour le bal populaire du soir. Les drapeaux bleu, blanc, rouge battent au vent léger d'été. Des barrières ont été disposées pour le feu d'artifice.

Tous sont arrivés bien tôt pour assister à un véritable ballet d'étoiles qui sera tiré bientôt, à la nuit venue. Ça y est, les fusées éclatent maintenant dans le ciel. Elles sont de toutes les couleurs et retombent en cascades dans un bruit infernal. Les enfants battent des mains bien qu'ayant très peur.

Enfin le dernier bouquet explose dans la nuit et le silence d'un moment est bientôt suivi de la musique du bal, entraînant les danseurs sur la piste.

C

Ma chère Marie,

Le Français est brun mais beaucoup sont blonds. Il faut bien avouer cependant que j'en ai rencontré aussi qui ont les cheveux châtain foncé, châtain clair, blancs, gris ou même roux ! C'est incroyable ! Les Français ont les yeux bleus ... noirs, verts ou marron ; ils sont grands ou petits ... ou moyens ; ils ont le sang chaud au sud de la Loire et sont de sang-froid au nord. Ce sont des gens très comiques mais qui sont sans... humour. Ils s'expriment dans une langue châtiée mais parlent parfois comme des charretiers ; ils attrapent des coups de soleil en hiver et des coups de foudre en été ; ils trouvent que le coût de la vie ne cesse d'augmenter même s'il baisse ; ils se soucient de ceci et se moquent de cela ; certains sont riches et ont des mille et des cents, d'autres sont sans le sou ; bref, en un mot comme en cent : l'un trouve que c'en est trop, l'autre que c'en est assez, le troisième que c'en est fait et quand ils débattent ils se battent, chacun rêvant de tordre le cou de son voisin.

J'espère que tu auras de cette façon un bon aperçu de ce qu'est un Français.

À bientôt.

Philippe

D

Mon cher Philippe,

J'ai lu ta lettre sur les Français dès que le facteur a franchi la grille du jardin. Dommage qu'il ait dû partir si tôt parce qu'il m'aurait peut-être aidée :

1 - à déchiffrer ton écriture, pour laquelle j'ai éprouvé de grandes difficultés. Excuse-moi mais fais plus attention à l'avenir. Ce dont tu ne te doutes pas c'est qu'il m'a fallu plus d'une demi-heure pour te lire !

2 - à comprendre ce que je n'ai compris qu'à demi-mot mais qui m'a bien fait rire quand même.

On peut dire que tu as le don du détail juste ... mais qui brouille les pistes et les esprits.

Aucun doute qu'après une lettre comme la tienne j'aie envie d'en savoir davantage sur les Français, leurs avantages et leurs inconvénients.

Si tu es d'accord, je te retrouverai à Paris samedi prochain, en gare de Lyon. J'arriverai par le train de dix heures et demie. Mais cela dépend de toi et de ton travail. J'attends ta réponse. Bien à toi,

Marie

E

Le mercredi, c'est le bonheur. Charlotte ne va pas à l'école. À elle la liberté. Elle va pouvoir chanter, danser, écouter de la musique, jouer ou tout simplement rester au lit à rêver dans un demi-sommeil.

Finies les dictées impossibles, effacé l'ennui des problèmes de pommes qu'il faut diviser par le nombre de pommiers. C'est un jour sans effort.

Vincent, le frère de Charlotte, va au lycée le matin. Mais il lui reste quand même l'autre moitié de la journée pour jouer avec sa sœur ou pour aller faire du sport avec ses camarades. Et vive l'amitié !

Quand il était petit, Vincent n'aimait pas le mercredi. Il préférait aller travailler. Il s'ennuyait parce qu'il ne savait pas quoi inventer pour s'amuser. Mais depuis qu'il n'a plus qu'une demi-journée de liberté, il regrette le temps d'autrefois, et attend avec impatience la fin de la semaine et les vacances pour retrouver ses grands-parents à la campagne.

Les parents de Charlotte et de Vincent ont cinq semaines de congé par an pour se reposer. Ils partent à la mer en juillet ou en août et vont skier à la montagne au moment des fêtes de Noël ou pendant les vacances de février.

F-G-H

Les quatre saisons

Le climat de la France est dit tempéré, mais rien n'est garanti, surtout pas la météorologie. Il peut en effet arriver que l'on ait quarante degrés l'été, en août, et qu'il fasse moins vingt degrés l'hiver, en décembre ou janvier.

L'automne est doux et agréable : les champs et les bois ont des couleurs dorées, ocre, fauves et mille senteurs. C'est la saison des peintres et des amoureux de la nature ; le moment des promenades en forêt, des cueillettes de champignons pour confectionner des salades ou des omelettes ; l'époque des récoltes de noisettes et de baies sauvages : mûres ou framboises dont on fera des confitures ; et surtout le moment béni des vendanges des raisins qui donneront du vin ou du champagne.

L'hiver est froid, parfois rigoureux. Chacun se couvre d'habits de laine pour se protéger du vent glacé et de la neige. Il n'y a guère de monde dehors car la nuit tombe vite, dès quatre heures et demie. Mais l'hiver c'est aussi l'occasion de faire des batailles de boules de neige, des bonshommes de neige, d'aller à la montagne pour skier ou faire de la luge, de donner ou de recevoir des cadeaux. Dès le 24 décembre, autour de minuit, le Père Noël descend dans les cheminées et dépose des présents dans les souliers des enfants qui dorment et qui ont promis d'être bien gentils.

Au printemps, les hommes comme les animaux ou les fleurs sortent de leur sommeil pour une renaissance ; les vaches, les bœufs, les moutons, les gallinacés de la ferme, les violettes, les primevères, ainsi que de nombreuses graminées, s'ouvrent à une nouvelle vie. Il fait encore frais et tout devient vert : un excellent antidote contre la tristesse. Et puis vient la fête de Pâques, fête de la gaieté pour les enfants qui doivent découvrir les œufs, les cloches et les poules en chocolat que leurs parents ont cachés dans le jardin ou dans leur appartement.

L'été, c'est l'exode des citadins et des gens du nord vers les plages ensoleillées de la Côte d'Azur ou de l'Atlantique. Il fait chaud et ce sont les vacances pour la plupart des Français.

Certains ont leur résidence secondaire mais beaucoup préfèrent le camping, l'hôtel ou être hébergés à la ferme par des paysans qu'ils aident aux moissons. Entre le 14 juillet et le 15 août, les gares sont bondées de monde, les routes fourmillent de voitures survolées par des hélicoptères qui surveillent la circulation et essaient d'empêcher l'hécatombe.

I-J-K

Texte à dicter en plusieurs fois

«Tel est pris qui croyait prendre» ; «Bien mal acquis ne profite jamais» ; «La pauvreté est mère de tous les vices». La langue française compte une kyrielle de dictons, proverbes, sentences, expressions toutes faites du bon sens populaire, maximes morales dont l'origine se perd dans la nuit des temps ou extraites de pièces de théâtre, récits ou fables comme les célèbres Fables de La Fontaine écrites au dix-septième siècle et que de nombreux Français connaissent par cœur.

Ces fables mettent en scène d'innombrables couples d'animaux : des loups faisant la conversation à des chiens ou à des brebis, des souris délivrant un lion pris au piège par des chasseurs, un renard jalousant le fromage d'un corbeau, une grenouille essayant de se faire aussi grosse que le bœuf. Chacun joue un bon tour à l'autre et lui donne ainsi une leçon pour que cela lui serve dorénavant dans la vie ; puis conclut son histoire par une phrase que les Français citent volontiers depuis trois siècles.

«Rien ne sert de courir, il faut partir à point», dit par exemple, avec une fausse innocence, la maligne tortue qui vient de remporter victorieusement sa course contre le lièvre qui se croyait invincible.

«Vous chantiez, j'en suis fort aise, et bien dansez maintenant», proclame la fourmi laborieuse à la cigale qui n'a pas amassé de provisions pour l'hiver et est désormais condamnée au jeûne.

«On a souvent besoin d'un plus petit que soi», explique enfin un rat au lion pris dans les filets des chasseurs.

L

On l'a souvent remarqué, les habitudes alimentaires des Français font partie intégrante de leur art de vivre. Leurs voisins viennent d'ailleurs goûter leur cuisine avec plaisir et les étrangers dévorent ... leur littérature culinaire.

Les repas des Français ne sont pas équilibrés : loin de là ! Leur petit déjeuner par exemple est trop rapide, trop léger : un bol de thé ou de café, au mieux une ou deux tartines de pain beurré ; et pour les enfants, du lait chocolaté et ici ou là, des céréales. Il leur faut tenir jusqu'à midi ou une heure, le ventre vide! Le dimanche, la tradition des croissants chauds ou de la brioche donne un air de fête au petit déjeuner familial.

Leurs déjeuners et leurs dîners sont d'une richesse légendaire. Trop copieux ! On l'a souvent constaté, beaucoup de Français mangent de la viande rouge à tous leurs repas !

Mais le fin gourmet attend impatiemment l'heure du fromage qu'il accompagne d'un verre de vin. Beaucoup choisissent de terminer leur repas par l'un des trois cent cinquante fromages que la France produit et d'en rester là ! Seuls les gourmands appellent de leurs vœux le bon gâteau ou la bonne tarte qui ne manquera pas de venir couronner leur repas du dimanche agrémenté, les jours de fête, d'une flûte de champagne.

M

La "douce France" chère au chanteur Charles Trenet est un hexagone de cinq cent cinquante mille kilomètres carrés où vivent environ cinquante-cinq millions d'habitants.

Pays de collines, de plaines et même de hauts plateaux, la France est néanmoins entourée à l'est et au sud de hautes barrières montagneuses : la chaîne des Pyrénées et la chaîne des Alpes dont le Mont-Blanc culmine à une altitude de quatre mille huit cent sept mètres. Mais les Français ne vivent pas repliés sur eux-mêmes. En effet, les deux mille sept cent quatre-vingts kilomètres de façade maritime et les deux mille sept cent dix kilomètres de frontières continentales font de la France un pays appelé à avoir, sinon les mêmes, du moins autant de contacts avec la mer qu'avec la terre.

Ses quatre fenêtres maritimes : la Méditerranée au sud, l'Atlantique à l'ouest, la mer du Nord, la Manche, lui assurent une ouverture non seulement sur l'Europe, à la croisée des chemins britannique, allemand, italien et espagnol mais aussi sur le monde entier.

N

Texte à dicter en plusieurs fois

Il n'y a aucun doute, nous autres Français consacrons de plus en plus de notre temps et de notre argent à la cuisine.

Ce n'est d'ailleurs ni parce que nous mangeons plus que par le passé ni parce que la vie est plus chère mais parce que nous investissons davantage ce «nid» du foyer que nous équipons d'appareils électroménagers fonctionnels et du dernier cri en vue de rationaliser et d'ennoblir cet acte créatif et essentiel : faire la cuisine.

Pour quelques-uns d'entre nous, il n'y a rien d'assez beau ni d'assez cher pour parer ce lieu de vie où nous passons le plus clair de notre temps. Il est même devenu très chic de recevoir nos amis dans la cuisine que nous ouvrons de plus en plus sur le salon-salle à manger pour n'en faire qu'une seule pièce.

Au centre de la table se trouve le pain, et beaucoup pensent qu'il n'y a pas de bon repas sans bon pain. Mais il n'y a pas qu'une seule sorte de pain !

À chaque occasion, son pain... et nos pains sont aussi nombreux que les occasions de bien manger ! Il faut ainsi goûter nos pains de campagne avec de la charcuterie fine, nos pains aux noix ou aux raisins pour accompagner certains fromages, notre pain viennois ou de gruau pour les tartines du goûter, nos pains de seigle pour les huîtres, nos pains de mie grillés pour le foie gras ou le saumon fumé, nos pains complets ou de son pour les gens qui suivent des régimes, nos baguettes, nos bâtards, nos ficelles ou nos pains parisiens pour l'ordinaire.

Il n'est donc ni étonnant ni invraisemblable que certains boulangers soient devenus des célébrités, tel Poilâne, gentilhomme boulanger qui multiplie ses pains par milliards dans le monde entier.

O

Texte à dicter en plusieurs fois

On pourra préparer la dictée en recherchant des cartes postales, illustrations, diapositives, photographies, articles, guides touristiques concernant les châteaux de la Loire. L'enseignant pourra épeler ou écrire les noms propres.

Ma chère Marie,

On me l'avait dit et on avait eu raison : on ne doit manquer sous aucun prétexte l'opportunité de visiter les châteaux de la Loire.

Témoins étonnants du plus bel art de la Renaissance et notamment de la gloire du roi François Ier, ils ont des noms prestigieux : Amboise, Chambord, Cheverny, Azay-le-Rideau, Blois, Chenonceaux, Chaumont, Saumur, Villandry, Villesavin, Ussé ... et bien d'autres encore.

Résidences du roi ou occupées par les nobles de la Cour, ces œuvres monumentales ont été façonnées et élevées à la fin du quinzième ou du seizième siècle par les mêmes maîtres d'origines française et italienne qui ont édifié les grandes demeures royales.

On imagine bien ce qu'ont été les fastes de cette époque-là en se promenant dans les appartements richement meublés et ornés d'or, en admirant les bijoux ou en rêvant dans les magnifiques parcs qui entourent les châteaux.

Mais où mon émotion et ma joie ont été à leur comble, c'est quand j'ai eu l'occasion de visiter à Amboise la maison de Léonard de Vinci. Quel choc !

Dans tout cela, un seul défaut, un seul regret, un seul faux pas, Marie, que tu n'aies pas été à mes côtés pour t'exclamer avec moi et dire bravo !

À bientôt.

Philippe

P

C'est un fait, les Français sont passionnés par la politique, surtout lors des grandes échéances électorales comme les consultations présidentielles ou législatives.

On prétend que ce goût est chez eux inscrit dans une tradition séculaire, que les idées de Rousseau et de Voltaire, les principes révolutionnaires de 1789 et plus près de nous, les événements de Mai 1968, les ont fortement marqués et influencés.

Prompts à s'engager voire à s'enflammer pour une cause ou pour un parti, ils sont pourtant toujours prêts à défendre l'idéal démocratique et les valeurs de la devise républicaine qui orne les édifices publics : Liberté, Egalité, Fraternité.

Les journalistes de télévision et de radio organisent et mettent en scène émissions, débats, rencontres, reportages, magazines qu'on ne compte plus tant ils sont nombreux (près d'une émission par jour) et qui ont pour noms «L'Heure de Vérité», «Sept sur Sept», «Le Grand Jury», «Face au Public», «L'Oreille en Coin»...

Véritables spectacles, ils sont très attendus et appréciés par les téléspectateurs ; mais ils donnent parfois à voir des journalistes transformés en dompteurs descendus dans une arène où des hommes politiques accomplissent un numéro. Les journaux télévisés consacrent quant à eux plus du tiers de leur temps au débat de politique intérieure et la publicité politique, bien qu'interdite à la télévision, prend de plus en plus d'importance.

Le Président de la République est élu au suffrage universel pour sept ans et les députés ont un mandat de cinq ans. Le Président François Mitterrand a entamé en 1988 son second septennat.

Q-R

Quoique toujours fortement influencée par une musique nord-américaine dont les Français ont raffolé dans les années 60, la chanson d'expression française renaît et renoue quelque peu avec le succès depuis une décennie.

De nombreuses émissions de télévision et de radio, de nombreux festivals et rencontres comme le Printemps de Bourges ou les Francofolies de La Rochelle donnent à des artistes consacrés le moyen de se produire et révèlent tous les ans quelques nouveaux chanteurs ou groupes de talent.

Qu'elle soit traditionnelle ou moderne, québécoise, belge, antillaise, bretonne, occitane ou africaine, et quelles que puissent être les influences nationales ou étrangères, la chanson de langue française se caractérise par la variété de ses musiques et la richesse d'inspiration de ses textes.

Quant aux danses folkloriques, elles ont connu un regain important quand se sont développées dans quelques régions des reconstitutions historiques, sortes de vastes fresques animées auxquelles pouvait participer la population de quelques villages (comme au Puy-du-Fou en Vendée).

S

Texte à dicter en plusieurs fois

Il serait souhaitable de le préparer en se reportant aux explications complémentaires fournies dans le corrigé. Nous conseillons aussi de rechercher des personnages installés dans la littérature publicitaire mondiale, française ou de votre pays.

Autrefois réclame, hier publicité, aujourd'hui «pub», la publicité n'est plus en France une simple sollicitation ou une manière de vanter les mérites d'un produit. C'est devenu, pour les jeunes générations surtout, une distraction à part entière, souvent plus regardée que certaines émissions de télévision dites sérieuses. Si la publicité suscite chez les adultes soit des réactions d'inquiétude soit une franche répulsion et même chez quelques-uns de l'aversion, c'est pour les très jeunes un sujet de conversation, de discussion, voire une passion qui crée ses modes, ses codes, ses réparties, ses héros, ses personnages, ses auteurs, ses musiques et ses récits. Bref, la publicité est pour les jeunes Français une littérature nouvelle, une culture parallèle et un sacerdoce suprême.

Certains personnages de la publicité sont si célèbres qu'il leur suffit d'apparaître pour qu'on identifie la marque : la gentille mais espiègle Mamie Nova ne cesse de nous engager à consommer ses produits laitiers, notamment ses yaourts. (Les Français sont les plus gros consommateurs de yaourt au monde !). La Mère Denis, vieille paysanne aujourd'hui décédée vantant les avantages des machines à laver Vedette, est devenue quant à elle une véritable et vénérable institution de la déesse publicité.

Et ne parlons pas de tous les autres personnages du panthéon sans lesquels la publicité ne serait pas ce qu'elle est, qu'ils soient d'ailleurs acteurs, êtres de chair ou personnages de papier : le bonhomme Michelin (les pneus), l'Oncle Ben's (le riz), le curé Panzani (les pâtes), le petit noir Banania qui s'écrie «Y'a bon Banania» (le petit déjeuner chocolaté), Monsieur Propre (le produit ménager) qui fait tout étinceler du sol au plafond, Gonzague Mulliez (les tapis Saint-Maclou) et tant d'autres encore...

T

Cette dictée doit faire l'objet d'une préparation sur le plan des implicites culturels. Pour mieux comprendre le sens des slogans, nous vous invitons à prendre connaissance des indications données dans le corrigé.

L'invention de slogans tolère pour seules limites le talent créatif des publicitaires. Certains connaissent un tel succès qu'ils passent à la postérité. C'est ainsi que vous pouvez :
1 - biocaliner votre chat ou votre chien (aliments pour animaux);
2 - vous Rowenter la vie (appareils ménagers);
3 - être en état de Ricqlès (boisson à la menthe);
4 - trouver le loto sportif spormidable;
5 - succomber à la Watermanie (stylo à encre).

D'autres publicités provoquent un tel tollé qu'elles marquent à jamais les imaginations : témoin Myriam, jeune fille de toute beauté, qui se présenta, un jour de septembre, à moitié nue, en déclarant avec un sourire coquin : «Demain, j'enlève le bas»... et qui l'enleva.

Parce qu'on l'a tarabusté à toute heure par un tapage radiophonique, parce qu'on lui a taraudé l'esprit de tous côtés et à tout propos, tout un chacun sait de toute façon que :
1 - On trouve tout à la Samaritaine (grand magasin parisien).
2 - Un verre ça va, deux verres, bonjour les dégâts ! (campagne antialcoolique de la Prévention Routière).

3 - Saint-Yorre, ça va fort (eau minérale).

4 - Perrier, c'est fou (eau minérale).

5 - Touche pas à mon pote ! (mouvement antiraciste).

6 - Et badadi et badadoi, la meilleure eau, c'est la Badoit.

U-V-W

Texte à dicter en plusieurs fois

Les expressions en gras méritent une explication. Pour vous aider, reportez-vous au corrigé.

Pour beaucoup de Français le week-end commence le vendredi à seize heures. Des tribus de citadins jettent alors leur valise dans leur véhicule et se lancent sans peur, **sans reproche et sans vergogne** sur les sentiers de la guerre automobile, particulièrement si le mercure du baromètre indique : «On peut y aller, il va faire beau !» Et en route pour l'aventure !

En vérité, l'aventure consiste en une cohue indescriptible sur les routes et les autoroutes dont il faut essayer de sortir vivant et de préférence sans blessure. **Une gageure !** car tout recul est condamné ... d'avance. Il faut progresser avec **les moutons de «ça urge»** vers sa destination, voire son destin. Un travail d'Hercule !

Les routes sont donc **des liaisons... dangereuses**, voire mortelles, même si la vitesse y est limitée à quatre-vingts kilomètres à l'heure ; et à voir les Français s'entasser de la sorte dans les plaines et les vallées, on est tenté de se demander s'ils ne sont pas partis vérifier le vieil adage maternel : «Va voir là-bas si j'y suis !» De quoi donner le vertige, des ulcères ou l'envie de se taper la tête contre le mur de la chambre que l'on n'aurait jamais dû quitter !

Pourtant, depuis la crise du pétrole, les Français font le calcul de ce que leur coûte leur voiture en carburant, en énergie nerveuse, en temps perdu et en risques.

C'est pourquoi beaucoup de gens préfèrent aujourd'hui d'autres moyens de transport. Et si l'on excepte **les transports amoureux** (le samedi matin, lès mairies et les églises voient défiler **la chaîne des couples** venus s'enchaîner par les liens du mariage), ils découvrent les vertus des voyages en vélo, en moto, en bateau, en avion, de la randonnée à cheval ou pédestre, du ski, de la planche à voile ou à roulettes..., sans oublier bien sûr le train que l'on prend avec de plus en plus d'entrain et notamment le glorieux TGV : le Train à Grande Vitesse qui vous assurera un Trajet Garanti Velours dans le futur, aux six coins de l'hexagone, à plus de deux cent quatre-vingts kilomètres à l'heure.

X-Y-Z

« Le rire est le propre de l'homme » disait Rabelais ; mais ce qui fait rire les uns ne fait pas nécessairement rire les autres ! Il est d'ailleurs souvent impossible d'expliquer pourquoi on rit.

Pour rire aux sketches de Fernand Raynaud, de Coluche ou de Bernard Haller, aux imitations de Thierry Le Luron ou de Michel Leeb il faut bien connaître la langue mais surtout la culture d'un peuple qui tisse chaque jour la matière de ce qui le fera rire le lendemain.

Cette dernière dictée se devait d'être particulière, une sorte de bouquet final d'un feu d'artifice orthographique. Le texte est long et difficile. C'est la raison pour laquelle nous conseillons :

1) de le préparer à l'aide des explications fournies dans le livret de corrigés, même si l'on sait qu'il n'est pas de pire assassin de l'humour que son explication !

2) de le dicter en plusieurs fois.

Mon cher papa,

L'humour français est excellent mais j'avoue que certaines de ses zones me restent encore obscures. C'est pourquoi je m'y suis essayé moi-même pendant tout mon séjour en France... en essuyant au début des échecs exaspérants !

Mais je progresse dans cet art bizarre car je travaille beaucoup : la nuit pour les plaisanteries et les contrepèteries ; le jour pour l'humour et les calembours. Le reste du temps je lis Bergson, Daninos, Desproges et les autres dans le texte, dans mon lit ou au zinc du café voisin. Très excitant et très nourrissant, voire bourratif : on dit ici qu'un bon fou rire vaut un bon bifteck !

Je peux donc maintenant te fournir quelques recettes. Pour faire un bon humoriste à la française, il faut :

1 - Choisir le genre, le ton, le style que l'on va employer :
- soit du côté de chez Devos, c'est-à-dire se perdre avec plaisir

dans le doux labyrinthe d'une histoire follement logique qui zigzague autour de mots se mordant la queue;
- soit du côté de chez Bedos, c'est-à-dire s'annexer les pics escarpés de bons mots qui font mal, de saillies excentriques, excessives, voire violentes.

2 - Savoir faire esquisser un sourire entendu par un zeste de finesse, mais aussi déclencher un sourire jaune par un humour noir inflexible.

3 - Pouvoir faire s'esclaffer par des à-peu-près vaseux ou des jeux de mots gros comme le nez au milieu de la figure. (Attention ! les nez à la Cyrano font toujours recette, mais il faut exclure les pieds-de-nez et les gros mots !)

4 - Être capable de faire éclater de rire par des histoires à dormir debout - à condition d'en avoir suffisamment dans son magasin à malices pour chaque occasion.

5 - Faire rire jusqu'à l'apoplexie par des pédalages dans un yaourt de mots surréalistes servis dans des bazars que l'on appelle ici cafés–théâtres, cabarets, music-halls ou encore palais.

Quoi qu'il en soit, nous devrons consommer avec modération l'alcool enivrant de l'humour français, sans quoi il faudra bien que nous en payions le tribut dans quelque joute oratoire où chacun se met en scène et en pièces. C'est pourquoi je te propose, papa, en souvenir du poème de Kipling à son fils, de recopier cette petite profession de foi, de toi à moi.
- Si tu essuies les plâtres d'un duel oratoire, télévisé ou non, et que par un seul bon mot tu te ressaisisses;
- si tu mouches et balaies d'un revers de repartie ironique l'importun impertinent;
- si tu envoies d'une façon bien sentie la formule assassine qui fait mouche et mets tous les rieurs de ton côté;
- si tu ferrailles avec panache dans la Mare aux Canards déchaînés de la politique française et envoies au tapis l'adversaire par une botte secrète, tout en faisant se gondoler de rire les spectateurs;
- tu seras un humoriste français, mon père !

Signé : Le dernier des Mousquetaires

LexiquE

Ce lexique n'est pas un dictionnaire mais une aide à la maîtrise d'un vocabulaire moyen de base.

Aucune définition donc ni exhaustivité; seulement une liste des mots sélectionnés à partir d'échelles de fréquence avec le parti pris d'éliminer les mots trop simples parce que supposés connus et les mots trop compliqués devant faire l'objet d'un apprentissage ultérieur. Les astériques (*) signalent des mots qui peuvent être confondus avec d'autres mots de prononciation voisine ou identique. Il convient pour plus de sécurité de s'arrêter pour analyser la forme et le fond de ces mots litigieux et de rechercher les différentes orthographes possibles avec leurs sens dans le dictionnaire : par exemple faire et fer ; être et hêtre ; maître et mètre ou mettre ; balade et ballade ; mais et mets ; cou, coup et coût, etc.

A

a-à
abaisser
abandonner
abattre
abbé (un)
abeille (une)
abîmer
abondant, e
abord (un)
aboutir
aboyer
abri (un)
abriter
abrupt, e
absence (une)
absent, e
absolu, e
absolument

abstrait, e
abus (un)
académie (une)
accabler
accaparer
accéder
accélérer
accent (un)
accepter
accès (un)
accident (un)
acclamer
accompagner
accomplir
accord (un)
accorder
accourir
accroc (un)
accrocher

accroître
accueil (un)
accueillir
accuser
achat (un)
acheter
acide (un)
acier (un)
acompte (un)
acquérir
acte (un)
action (une)
activité (une)
actuel, elle
actuellement
adhérent (un)
adieu (un)
adjoint (un)
admettre

administration (une)
admiration (une)
adopter
adorer
adoucir
adresser
adroit, e
adversaire (un)
aérer
affaiblir
affaire (une)
affection (une)
affiche (une)
affreux, euse
afin
âge (un)
agenouiller (s')
agent (un)
agglomération (une)

agir
agitation (une)
agrandir
agréable
agresser
aïeul (un)
aigu, ë
aiguille (une)
aiguiser
aile (une)
ailleurs
aîné (un)
ainsi
aisément
ajouter
alcool (un)
alentour, s
aliment (un)
allée (une)
allégresse (une)
aller
allié (un)
allonger
allumer
allumette (une)
allure (une)
alors
âme (une)
amener
amer, ère
ami (un)
amical, e
amitié (une)
amour (un)
amusant, e
amuser
an (un)
ancien, enne
angoisse (une)
animal (un)
animation (une)
animer
anneau (un)
année (une)
anniversaire (un)

annoncer
anxiété (une)
anxieux, euse
août
apercevoir
apéritif (un)
apitoyer
aplatir
apôtre (un)
apparaître
appareil (un)
apparence (une)
apparition (une)
appartement (un)
appartenir
appel (un)
appeler
appétit (un)
applaudir
application (une)
appliquer
apporter
apprécier
apprendre
approcher
approuver
appui (un)
appuyer
après-midi (un)
argent (un)
arme (une)
armée (une)
armer
armoire (une)
arracher
arranger
arrêt (un)
arrêter
arrière
arrivée (une)
arriver
arrondir
arrondissement (un)
arroser
art (un)

article (un)
artiste (un)
aspect (un)
aspirer
assaillir
assaut (un)
assassiner
assembler
asseoir
assez
assidu, e
assister
associer
assurer
atmosphère (une)
attacher
attaquer
attarder
atteindre
attendre
attirer
attrait (un)
attraper
attribuer
aucun, e
au-dessous
au-dessus
augmenter
aujourd'hui
auparavant
auprès
auquel
aussi
aussitôt
autant
auteur (un)
automne (un)
automobile (une)
autoriser
autorité (une)
autrefois
autrement
autrui
avaler
avancer

avant
avantageux, euse
avec
avenir (un)
aventurier (un)
avertir
aveu (un)
aveugle (un)
aviateur (un)
avion (un)
aviser
avouer

B

bal (un)
* balade (une)
balai (un)
balancer
balayer
balcon (un)
* ballade (une)
balle (une)
ballon (un)
banal, e
banc (un)
bande (une)
bandit (un)
banlieue (une)
banque (une)
banquier (un)
baptême (un)
baptiser
baraque (une)
barbare (un)
barbe (une)
baroque
barque (une)
barrage (un)
* barre (une)
bas, basse
base (une)
bas-fond (un)
basse-cour (une)
bassin (un)
bataille (une)

bateau (un)
bâtiment (un)
bâtir
bâton (un)
battre
bavarder
bazar (un)
beau, belle
beaucoup
beauté (une)
bénédiction (une)
bénéfice (un)
bénin, igne
bénir
berceau (un)
bercer
berger (un)
besogne (une)
besoin (un)
bétail (un)
bête (une)
beurre (du)
bibliothèque (une)
bicyclette (une)
bien
bienfaiteur (un)
bienheureux, euse
bientôt
bienveillance (une)
bienvenu, e
bière (une)
bifteck (un)
bijou (un)
billet (un)
biographie (une)
biscuit (un)
bistro (un)
bistrot (un)
bizarre
blanc, anche
blancheur (une)
blé (du)
blesser
blessure (une)
bleu, e

bloc (un)
blond, e
blottir
bœuf (un)
bohème (une)
boire
bois (un)
boisson (une)
boîte (une)
* bon, onne
bonbon (un)
* bond (un)
bonheur (un)
bonhomie (une)
bonhomme (un)
bonté (une)
bord (un)
boucher
boucler
bouder
*boue (une)
bouger
bougie (une)
bouillir
boulangerie (une)
boule (une)
bouleau (un)
boulevard (un)
bouquet (un)
bourgeois (un)
bourse (une)
bousculer
* bout (un)
bouteille (une)
boutique (une)
bouton (un)
boyau (un)
bracelet (un)
branche (une)
bras (un)
brave
bravo (un)
brebis (une)
brèche (une)
bredouille

bref, brève
brigand (un)
brillant, e
briller
*brin (un)
brindille (une)
brique (une)
brise (une)
briser
broc (un)
brochure (une)
broder
bronzer
brosse (une)
brouillard (un)
broyer
bruit (un)
brûler
brume (une)
*brun, e
brusquement
brut, e
brutal, e
bruyamment
bruyant, e
bûcheron (un)
bulle (une)
bureau (un)
bus (un)
* but (un)
butiner
* butte (une)

C

ça
çà !
cabane (une)
cabine (une)
câble (un)
cacahuète (une)
cachet (un)
cachotterie (une)
cacophonie (une)
cadavre (un)
cadeau (un)

cadran (un)
café (un)
cage (une)
cahier (un)
cahot (un)
cailler
caillou (un)
caisse (une)
calamité (une)
calcul (un)
calculer
calendrier (un)
câlin (un)
calomnie (une)
camarade (un)
camembert (un)
camionnette (une)
* camp (un)
camper
cancer (un)
candidat (un)
canicule (une)
caniveau (un)
* canne (une)
canon (un)
canot (un)
caoutchouc (un)
* cap (un)
capacité (une)
* cape (une)
capitaine (un)
capot (un)
caprice (un)
car (un)
caractère (un)
carence (une)
caresse (une)
carnaval (un)
carnivore
carotte (une)
carré (un)
carreau (un)
carrière (une)
carriole (une)
carrosse (un)

carrure (une)
cas (un)
casier (un)
casque (un)
casser
catalogue (un)
catastrophe (une)
catégorie (une)
cathédrale (une)
cauchemar (un)
caution (une)
céans
ceinture (une)
célèbre
célibat (un)
* celle
censure (une)
* cent
centime (un)
cercueil (un)
céréale (une)
certes
c'est-à-dire
* cette
ceux
chacun, e
chahut (un)
chagrin (un)
chaîne (une)
* chair (une)
* chaire (une)
chalet (un)
* champ (un)
champion (un)
chance (une)
changer
chanson (une)
chant (un)
chanter
chapeau (un)
chapitre (un)
chaque
char (un)
chariot (un)
charité (une)

charrette (une)
charrue (une)
chasse (une)
chat (un)
châtaigne (une)
châtain, e
château (un)
chaud, e
chauffage (un)
chaussée (une)
chef-d'œuvre (un)
chemin (un)
cheminée (une)
chèque (un)
* cher
cheval (un)
cheveu (un)
chez
chic
chiffre (un)
chirurgie (une)
choc (un)
choix (un)
chômage (un)
chose (une)
chou (un)
chrétien, ne
chronique (une)
chuchoter
chut !
chute (une)
cicatrice (une)
ciel (un)
cigarette (une)
cil (un)
cimetière (un)
cinéma (un)
cinq
cinquante
cinquième
circonstance (une)
*ciseau (un)
*ciseaux (des)
citation (une)
cité (une)

citoyen (un)
clac !
clan (un)
clarté (une)
classe (une)
classique
clause (une)
*clé (une)
*clef (une)
client (un)
cligner
climat (un)
clin (un)
clochard (un)
clocher (un)
clore
clôture (une)
clou (un)
clown (un)
coalition (une)
code (un)
coéquipier (un)
cœur (un)
coffre (un)
cohabiter
cohérent, e
cohue (une)
coïncidence (une)
colère (une)
colis (un)
collage (un)
colle (une)
collection (une)
collège (un)
coller
collier (un)
colloque (un)
colonie (une)
colonne (une)
colossal, e
combatif, ive
combativité (une)
combattant (un)
combien
comédie (une)

comité (un)
commander
comme
commencer
comment
commerce (un)
commettre
commis (un)
commission (une)
commode (une)
commun, e
communauté (une)
communicant, e
communier
communiquer
compact, e
compagnie (une)
comparaison (une)
comparaître
compas (un)
compétence (une)
complètement
complexe (un)
complice (un)
complot (un)
composer
compréhension (une)
comprendre
comptabilité (une)
* compte (un)
concentrer
conception (une)
concert (un)
concession (une)
conclure
concombre (un)
concours (un)
concurrence (une)
condamnation (une)
conférence (une)
confidence (une)
confisquer
conflit (un)
confort (un)
confus, e

congé (un)
congrès (un)
conjoint, e
conjugaison (une)
connaissance (une)
conquérir
conscience (une)
conseil (un)
conséquence (une)
console (une)
consommation (une)
constant, e
constater
constituant, e
construire
consulat (un)
consulter
contact (un)
* conte (un)
contempler
content, e
contenu (un)
contexte (un)
contigu, ë
contiguïté (une)
continuité (une)
contraint, e
contraire
contrarier
contrat (un)
contre
contrecoup (un)
contredire
contrefaçon (une)
contribution (une)
contrôle (un)
convaincant, e
convenance (une)
conversation (une)
conviction (une)
convoquer
coopération (une)
coordination (une)
copain (un)
copine (une)

coq (un)
coquille (une)
corail (un)
corbeille (une)
cordialité (une)
coriace
corps (un)
correct, e
corrélation (une)
correspondance (une)
corriger
corrompre
corruption (une)
corvée (une)
côte (une)
côté (un)
coton (un)
* cou (un)
coucher
couler
couleur (une)
* coup (un)
couper
couple (un)
* cour (une)
courageux, euse
courant (un)
courir
courrier (un)
* cours (un)
* court, e
cousin (un)
* coût (un)
couteau (un)
coutume (une)
couvert (un)
craie (une)
craindre
cran (un)
crâne (un)
crasse (une)
cravate (une)
crayon (un)
crédit (un)
crédule

créer
crème (une)
crêpe (une)
creux, euse
crever
cri (un)
criant, e
crier
crime (un)
crin (un)
crise (une)
critique (une)
croire
croiser
* croître
croix (une)
croquer
croyant, e
*cru, e
cruauté (une)
cruel, elle
cueillir
cuillère (une)
cuiller (une)
* cuir (un)
* cuire
cuisine (une)
cuit, uite
culpabilité (une)
cure (une)
curiosité (une)
cuvée (une)
cycle (un)
cycliste (un)

D
damné
danger (un)
dangereux , euse
dans
* danse (une)
date (une)
davantage
débâcle (une)
déballage (un)

débarquer
débarras (un)
débat (un)
débattre
débile
débit (un)
déblai (un)
déblaiement (un)
débloquer
déboire (un)
déboîter
debout
débrayer
débris (un)
débrouillard, e
début (un)
décadence (une)
décalage (un)
décamper
décaper
déceler
décemment
décence (une)
déception (une)
décès (un)
décevoir
déchaîné, e
déchausser
déchéance (une)
déchiffrer
décidément
décision (une)
déclaration (une)
déclencher
déclic (un)
déclin (un)
décoller
décompte (un)
déconsidérer
décontenancer
décontracter
décor (un)
découvert, e
découvrir
décret (un)

décrire
décroître
déçu, e
dédaigner
dédain (un)
dédale (un)
dedans
dédire (se)
dédommager
déduire
défaillir
défaire
défaut (un)
défection (une)
défense (une)
déférer
défi (un)
déficit (un)
défier
défilé (un)
définir
définition (une)
défoncer
défrayer
défunt, e
dégager
dégarnir
dégât (un)
dégourdi, e
dégoût (un)
dégrafer
degré (un)
déguisement (un)
déguster
dehors
déjà
déjeuner
delà
délabré, e
délai (un)
délasser
délégué, e
délibérer
délicat, e
délice (un)

délinquant (un)
délire (un)
délit (un)
démagogue (un)
demander
démanteler
démarquer
démarrer
démenti (un)
démesure (une)
démettre
demeure (une)
demi, e
démocratie (une)
démographie (une)
demoiselle (une)
démunir
dénaturer
déni (un)
dénombrer
dénoncer
dénouer
denrée (une)
densité (une)
* dent (une)
dénué, e
dépanner
dépareiller
départ (un)
dépasser
dépayser
dépêche (une)
dépeindre
* dépens
dépense (une)
dépérir
dépit (un)
déploiement (un)
déposition (une)
déposséder
dépôt (un)
dépouille (une)
dépourvu, e
déprécier
déposer

dépressif, ive
déprimer
depuis
député (un)
déraisonner
dérisoire
dernier, ère
derrière
* des
* dès
désaccord (un)
désaffecter
désappointer
désapprouver
désarroi (un)
désaveu (un)
desceller
descendance (une)
descendre
désert, e
désespérant, e
désespoir (un)
déshabiller
déshabituer
déshériter
déshumaniser
désigner
désinfection (une)
désintéressé, e
désintérêt (un)
désinvolte
désinvolture (une)
désir (un)
désobéir
désœuvré, e
désordonné, e
désormais
despote (un)
desquels, elles
dessaisir
dessécher
dessert (un)
* dessin (un)
dessous
dessus

destin (un)
destination (une)
destinée (une)
destruction (une)
détachant, e
détail (un)
détective (un)
déteindre
détente (une)
détérioration (une)
déterrer
* détoner
* détonner
détour (un)
détraquer
détremper
détresse (une)
détriment (un)
détritus (un)
détroit (un)
détruire
dette (une)
deuil (un)
deux
deuxième
devant
déveine (une)
développer
dévier
déviation (une)
dévisager
devise (une)
devoir (un)
devoir
dévoué, e
diagnostic (un)
dialecte (un)
dialogue (un)
diamant (un)
diarrhée (une)
diatribe (une)
dictée (une)
diction (une)
dicton (un)
diffamation (une)

différé, e	distinguer	doute (un)	ébruiter
différemment	distorsion (une)	doux , douce	écaille (une)
différence (une)	distraction (une)	douze	écarlate
difficile	distraire	drague (une)	écart (un)
difficulté (une)	distrayant, e	draguer	ecclésiastique
diffus, e	divan (un)	dramatique	échafaud (un)
digestion (une)	divers, e	drap (un)	échange (un)
digression (une)	divertir	drapeau (un)	échappé, e
digue (une)	divertissant, e	dressage (un)	écharpe (une)
dilemme (un)	divertissement (un)	dresser	échauffé, e
dilettante	divin, e	drogue (une)	échec (un)
dimension (une)	division (une)	droguer	échelle (une)
dîner (un)	divorcer	droit (un)	échelon (un)
diplomate	divulguer	droit, e	échiquier (un)
diplôme (un)	dix	drôle	écho (un)
dire	dixième	dru, e	échouer
direction (une)	dizaine (une)	*du	éclabousser
discerner	docile	* dû (un)	éclair (un)
disciple (un)	doctorat (un)	* dû	éclaircie (une)
discorde (une)	doctrine (une)	dualité (une)	éclat (un)
discothèque (une)	document (un)	dûment	éclipse (une)
discours (un)	documentation (une)	dune (une)	éclore
discrédit (un)	dodu, e	duo (un)	écœurant, e
discret, ète	* doigt (un)	duper	école (une)
disculper	dollar (un)	duquel	écologie (une)
discussion (une)	domaine (un)	dur, e	économie (une)
discuter	domestique	durant	écorce (une)
disparaître	domicile (un)	durcir	écossais, e
dispensaire (un)	dommage (un)	*durée (une)	écouler
disponibilité (une)	dompter	*durer	écoute (une)
disproportion (une)	* don (un)	duvet (un)	écran (un)
disproportionné, e	donc	dynamique	écrémer
dispute (une)	donnée (une)		écrier (s')
disquaire (un)	donner	**E**	écrire
disque (un)	* dont	eau (une)	écrit (un)
disséquer	doré, e	ébauche (une)	écriteau (un)
dissimuler	dorénavant	éblouir	écriture (une)
dissiper	dormir	éblouissant, e	écrivain (un)
dissocier	dortoir (un)	éboueur (un)	écu (un)
dissolu, e	dos (un)	ébouillanter	écueil (un)
dissonance (une)	dossier (un)	ébouler	éculé, e
dissoudre	douane (une)	éboulis (un)	écume (une)
distance (une)	douceur (une)	ébouriffé, e	écureuil (un)
distant, e	doué, e	ébranler	écurie (une)
distinct, e	douleur (une)	ébrécher	édifice (un)

édition (une)
éditorial (un)
éducation (une)
éduquer
effaçable
effacer
effaré, e
effaroucher
efféminé, e
effervescence (une)
effet (un)
effeuiller
efficace
effleurer
effluve (un)
effondrer
efforcer (s')
effort (un)
effrayer
effroi (un)
effroyable
effusion (une)
égal, e
égalité (une)
égard (un)
église (une)
égocentrique
égoïsme (un)
égorger
égout (un)
égoutter
égratigner
éhonté, e
éjecter
élaboration (une)
élan (un)
élargir
élastique (un)
électeur (un)
électorat (un)
électricité (une)
électrique
électronique (une)
électrophone (un)
élégamment

élégance (une)
élément (un)
éléphant (un)
élevage (un)
élève (un)
élimer
éliminer
élire
élision (une)
élite (une)
elle
ellipse (une)
elliptique
élocution (une)
éloge (un)
éloigné, e
éloquence (une)
élu, e
éluder
émail (un)
émailler
émanciper
emballage (un)
embarcation (une)
embarras (un)
embauche (une)
embêtant, e
emblée (d')
emboîter
embouchure (une)
embout (un)
embouteillage (un)
embrasser
embrayage (un)
embrigader
embrouiller
embûche (une)
émécher
émerveillement (un)
émettre
émeute (une)
émietter
émigrer
éminence (une)
émir (un)

émission (une)
emmagasiner
emmêler
emménager
emmener
emmurer
émoi (un)
émotion (une)
émotivité (une)
émouvoir
emparer (s')
empêché, e
empire (un)
emplir
emploi (un)
employé, e
empoigner
emporter
empreinte (une)
emprise (une)
emprunt (un)
ému, e
émulsion (une)
en
encadrer
encaisser
encart (un)
encastrer
encens (un)
encercler
enchaîner
enchère (une)
enclencher
enclin, e
enclore
enclos (un)
encoche (une)
encoller
encolure (une)
encombrant, e
encombrement (un)
encore
encourageant, e
encre (une)
encyclopédie (une)

endetter
endolorir
endommager
endormi, e
endosser
enduire
endurant, e
énergie (une)
énergumène (un)
énervé, e
enfance (une)
enfantin, e
enfer (un)
enfiler
enfin
enflammer
enfler
enflure (une)
enfoncer
enfouir
enfuir (s')
engageant, e
engendrer
engin (un)
engloutir
engouement (un)
engouffrer (s')
énigme (une)
enivrer
enjamber
enjeu (un)
enjoué, e
enlacer
enlaidir
enlever
enneiger
ennemi (un)
ennui (un)
énoncé (un)
énorme
énormité (une)
enquête (une)
enraciner
enrager
enrayer

enregistrer	envie (une)	* ère (une)	étiquette (une)
enrichir	environ (un)	éreinter	étoffe (une)
enrôler	environ	ériger	étonner
enrouer	envoi (un)	ermitage (un)	étourderie (une)
enseigner	envol (un)	errant, e	étrange
ensemble	envoyer	errer	étranger (un)
enserrer	épais, aisse	erreur (une)	* être
ensevelir	épanoui, e	erroné, e	* être (un)
ensoleillé, e	épargne (une)	érudit (un)	étroit, e
ensommeillé, e	éparpiller	escabeau (un)	étude (une)
ensorceler	épars, e	escalade (une)	étudiant, e
ensuite	épatant, e	escale (une)	étui (un)
entame (une)	épaule (une)	escalier (un)	euphorie (une)
entendre	épave (une)	escargot (un)	eux
entente (une)	épée (une)	esclaffer (s')	évacuer
enterrer	épeler	esclandre (un)	évader (s')
entêtant, e	éperdu, e	esclave (un)	évanouir (s')
en-tête (un)	épi (un)	escompte (un)	évaporer
enthousiasme (un)	épice (une)	escorte (une)	éveil (un)
entier, ère	épicerie (une)	escroc (un)	événement (un)
entorse (une)	épier	espace (un)	éventail (un)
entracte (un)	épingle (une)	espèce (une)	éviction (une)
entraide (une)	épique	espérance (une)	évidemment
entrain (un)	épisode (un)	espiègle	évocation (une)
entraîner	épithète (une)	espionner	évoquer
entrave (une)	épître (une)	espoir (un)	exact, e
entrebâiller	éponge (une)	esprit (un)	exactitude (une)
entrecôte (une)	épopée (une)	essai (un)	exagérer
entrée (une)	époque (une)	essayage (un)	exaltation (une)
entremets (un)	épouvantable	essence (une)	examen (un)
entremettre	épreuve (une)	essor (un)	exaspérer
entreposer	éprouver	essouffler	excédant, e
entrepôt (un)	épuisant, e	essuyer	excédent (un)
entreprendre	équateur (un)	esthète (un)	excellent, e
entreprise (une)	équation (une)	estival, e	excentrique
entrer	équilibrer	estomac (un)	exception (une)
entresol (un)	équipage (un)	estrade (une)	excès (un)
entretenir	équipe (une)	établi (un)	exciter
entretien (un)	équipement (un)	étalage (un)	exclamation (une)
entrevue (une)	équitable	étang (un)	exclure
énumération (une)	équivalent (un)	état (un)	excrément (un)
envahir	équivoque (une)	etc.	excursion (une)
enveloppe (une)	érafler	été (un)	excuse (une)
envelopper	éraflure	éteindre	exécution (une)
envers	érailler	étinceler	exemplaire

exemple (un)
exempté, e
exercer
exercice (un)
exigence (une)
exiger
exigu, ë
exiguïté (une)
exil (un)
existence (une)
exode (un)
exorbitant, e
expansion (une)
expédient (un)
expédier
expert (un)
expirer
explication (une)
exploit (un)
exploration (une)
exposé (un)
expression (une)
exprimer
expulser
exquis, e
extase (une)
exténuer
extra
extraire
extrait (un)
extraordinaire
extrême
extrémité (une)

F

façade (une)
face-à-face (un)
fâcher
facile
facilité (une)
façon (une)
façonner
factice
facultatif, ive
faculté (une)

faille (une)
faillir
* faim (une)
fainéant (un)
* faire
faire-part (un)
* fait (un)
* faîte (un)
falloir
falsifier
fameux , euse
familial, e
familier
famille (une)
fanatique
fanfare (une)
fantaisie (une)
fantomatique
fantôme (un)
fard (un)
farfelu, e
fascicule (un)
fascinant, e
fascisme (un)
fastidieux , euse
fatal, e
fatalité (une)
fatigant, e
fatigue (une)
faubourg (un)
faune (une)
faussaire (un)
fausser
fauteuil (un)
faux, ausse
fébrile
fécond, e
fée (une)
féerie (une)
feindre
fêlure (une)
femme (une)
fémur (un)
fendre
fenêtre (une)

* fer (un)
fer à cheval (un)
fermeté (une)
fermier, ère
féroce
ferraille (une)
ferroviaire
fertile
fervent, e
fesse (une)
festin (un)
festival (un)
* fête (une)
feu (un)
feuillage (un)
feuille (une)
février
ficeler
ficelle (une)
fichier (un)
fiction (une)
fidèle
fidélité (une)
fier, ère
fil (un)
filet (un)
fille (une)
film (un)
filon (un)
filou, te
fils (un)
filtre (un)
finance (une)
finir
fissure (une)
fixation (une)
fixer
flagrant, e
flair (un)
flamme (une)
* flan (un)
* flanc (un)
flâner
flatter
fléau (un)

flèche (une)
flegme (un)
flemme (une)
fleur (une)
fleuve (un)
flic (un)
flot (un)
flottaison (une)
flou, e
fluide (un)
flux (un)
fœtal, e
* foi (une)
* foie (un)
* fois (une)
folâtrer
folie (une)
folle (une)
foncé, e
foncer
fonction (une)
fonctionnaire (un)
* fond (un)
fonder
* fonds (un)
fontaine (une)
forçat (un)
force (une)
forclusion (une)
forêt (une)
forfait (un)
formalité (une)
format (un)
formation (une)
former
formule (une)
fort, e
fortuit, e
fortune (une)
fosse (une)
fou, folle
fouet (un)
fouetter
fougue (une)
fouille (une)

fouillis (un)
foule (une)
four (un)
fourmi (une)
fourmillement (un)
fourneau (un)
fournir
fourrage (un)
fourre-tout (un, des)
fourvoyer
fracas (un)
fraction (une)
fragile
fragment (un)
fraîchement
fraîcheur (une)
frais, fraîche
franc (un)
français, e
franchise (une)
franc-maçon (un)
francophonie (une)
frapper
fraternité (une)
fratricide (un)
fraude (une)
fraudeur (un)
frayer
fredonner
freiner
frêle
frémir
fréquence (une)
frère (un)
fresque (une)
frétiller
friable
fricassée (une)
friction (une)
fringale (une)
frisson (un)
frite (une)
frivole
froid, e
froidure (une)

frôler
froncer
front (un)
frotter
frottis (un)
fruit (un)
fruste
frustration (une)
fugace
fugue (une)
fuir
fuite (une)
fumée (une)
fumer
funambule (un)
funèbre
funeste
fureter
fureur (une)
furieux, euse
fusée (une)
fusil (un)
futile
futur, e
fuyant, e
fuyard (un)

G

gabarit (un)
gâcher
gâchis (un)
gadget (un)
gaffe (une)
gag (un)
gage (un)
gageure (une)
gagnant, e
gai, e
gaiement
gaieté (une)
gaillard, e
gain (un)
gala (un)
galant (un)
galerie (une)

galet (un)
gallicisme (un)
gallois, e
gallo-romain, e
galon (un)
galonner
galop (un)
galopin (un)
gamelle (une)
gamin, e (un, une)
gamme (une)
gang (un)
gangster (un)
gant (un)
garantie (une)
garçon (un)
garde (un)
garder
gardien (un)
gare (une)
gargote (une)
gargouille (une)
garnement (un)
garnir
garrigue (une)
garrot (un)
garrotter
gars (un)
gaspillage (un)
gastronomie (une)
gâteau (un)
gâter
gauche
gauchir
gauchisme (un)
gaufre (une)
gaule (une)
gaullisme (un)
gaulois, e
gaver
gavroche (un)
gaz (un)
gazette (une)
gazon (un)
gazouiller

geindre
gel (un)
gelée (une)
gélule (une)
gémeau (un)
gémir
gémissement (un)
gênant, e
gendre (un)
gêne (une)
généralité (une)
générosité (une)
genèse (une)
génie (un)
genou (un)
genre (un)
gentil, ille
gentilhomme (un)
gentiment
géode (une)
géographie (une)
geôle (une)
gérance (une)
gerbe (une)
gercer
gerçure (une)
germe (un)
geste (un)
gestion (une)
gifle (une)
gigantesque
girafe (une)
gîte (un)
givrer
glaçage (un)
glace (une)
glaise (une)
glaive (une)
glande (une)
glas (un)
glauque
glisser
globe (un)
globule (un)
gloire (une)

glose (une)
glousser
glouton, onne
glu (une)
glucide (un)
glucose (un)
gnôle (une)
gobelet (un)
goberger
goélette (une)
goguenard, e
goguette (une)
goinfre (un)
* golf (un)
* golfe (un)
gomme (une)
gondole (une)
gonfler
gorge (une)
gosse (un)
gouffre (un)
gourd, e
gourmand, e
gourmet (un)
goût (un)
goutte (une)
gouvernail (un)
gouvernement (un)
grabuge (un)
* grâce (une)
gracier
gracile
grade (un)
gradin (un)
graffiti (un)
grain (un)
graisse (une)
grammaire (une)
gramme (un)
grand, e
grandeur (une)
grandiose
grand-mère (une)
grand-père (un)
grange (une)

graphie (une)
grappe (une)
* gras, asse
gratifier
gratter
gratuit, e
grave
graver
gravir
grec, grecque
gredin (un)
greffe (une)
grégaire
grêle
grelot (un)
grelotter
grenat
grenier (un)
grenu, e
grève (une)
gréviste (un, une)
gribouiller
grief (un)
griffe (une)
grignoter
griller
grimace (une)
grimper
grincer
grincheux, euse
grippe (une)
gris, e
grisaille (une)
grisonner
grivois, e
grogne (une)
grommeler
gronder
gros, osse
groseille (une)
groseillier (un)
grossier, ère
grotte (une)
groupe (un)
grue (une)

gruyère (un)
gué (un)
guenille (une)
guêpe (une)
guère
guérir
guerre (une)
guet (un)
guet-apens (un)
guetter
gueule (une)
guide (un)
guignol (un)
guillemet (un)
guillotine (une)
guise (une)
gymnase (un)

H

habile
habileté (une)
habilité (une)
habiller
habit (un)
habitable
habitant, e (un, une)
habitation (une)
habitude (une)
hache (une)
hacher
hagard, e
haie (une)
haillon (un)
haine (une)
haïr
haleine (une)
haleter
hall (un)
halle (une)
halte (une)
hameau (un)
hameçon (un)
hanche (une)
handicap (un)
hangar (un)

hanter
hantise (une)
happer
harasser
harceler
harde (une)
hardi, e
hardiesse (une)
hargne (une)
haricot (un)
harmonica (un)
harmonie (une)
harmoniser
harpe (une)
hasard (un)
hâte (une)
hausser
haut, e
hautain, e
* hautesse (une)
haut-le-cœur (un)
havre (un)
hebdomadaire
héberger
hébreu
hécatombe (une)
hélas !
héler
hélice (une)
héliport (un)
hématome (un)
hémicycle (un)
hémisphère (un)
hémorragie (une)
hennir
herbage (un)
herbe (une)
herbivore
hérédité (une)
hérésie (une)
hérétique
hérisson (un)
héritage (un)
hermétique
héroïne (une)

héroïque
héros (un)
hésiter
hétéroclite
hétérogène
hétérosexuel, elle
* hêtre (un)
heure (une)
heureux, euse
heurter
hexagone (un)
hiatus (un)
hiberner
hibou (un)
hideux, euse
hier
hiérarchie (une)
hi-fi (une)
hilarant, e
hilare
hippie
hippique
hippocampe (un)
hippodrome (un)
hirondelle (une)
hirsute
histoire (une)
historien (un)
historique
hiver (un)
hocher
hochet (un)
hold-up (un)
homicide
hommage (un)
homme (un)
homogène
homologue
homonyme
homophone
homosexuel, elle
honnête
honneur (un)
honorabilité (une)
honorable

honorer
honte (une)
hôpital (un)
horaire (un)
horizon (un)
horloge (une)
hormis
horoscope (un)
horreur (une)
horrible
horrifier
horripiler
hors
hors-la-loi
hostile
hostilité (une)
* hôte (un)
* hôtel (un)
hôtellerie (une)
houx (un)
huche (une)
huée (une)
huile (une)
huissier (un)
huit
huitaine (une)
huître (une)
humain, e
humanisme (un)
humanité (une)
humble
humer
humeur (une)
humide
humiliant, e
humiliation (une)
humoristique
humour (un)
hurler
hutte (une)
hydratant, e
hydravion (un)
hygiène (une)
hymne (un)
hypermarché (un)

hypocrisie (une)
hypocrite
hypothèse (une)
hypothétique

I

ici
idéal
idée (une)
identification (une)
identité (une)
idéologie (une)
idiome (un)
idiot, e
idole (une)
ignare
ignoble
ignorance (une)
ignorer
* il
* île (une)
illégal, e
illégalité (une)
illégitime
illicite
illisible
illogique
illumination (une)
illusion (une)
illusoire
illustration (une)
îlot (un)
image (une)
imaginer
imbattable
imbécile
imbécillité (une)
imbiber
imbu, e
imbuvable
imitation (une)
immangeable
immature
immédiat, e
immerger

immeuble (un)
immigration (une)
immobile
immortel, elle
immuable
immuniser
impact (un)
impair, e
impardonnable
impartial, e
impassible
impatience (une)
impeccable
impératif (un)
imperceptible
impérial, e
impérieux, euse
imperméable
impersonnel, elle
impertinence (une)
imperturbable
impitoyable
implacable
implanter
implorer
impoli, e
impopulaire
importance (une)
importun, e
imposer
impossible
impôt (un)
imprécis, e
imprégner
impression (une)
impressionner
imprévoyance (une)
imprimer
impropre
improviser
impuissant, e
inabordable
inaccessible
inaccoutumé, e

inachever	indécis, e	infirme	insigne (un)
inactif, ive	indéfini, e	inflammable	insinuer
inadvertance (une)	indemniser	inflation (une)	insister
inaltérable	indépendant, e	infléchir	insolence (une)
inaperçu, e	indestructible	inflexible	insomniaque
inapplicable	index (un)	infliger	insonore
inapte	indication (une)	influencer	insoutenable
inattendu, e	indifférence (une)	informe	inspection (une)
inaudible	indigène	infortune (une)	instable
inaugurer	indigne	infrastructure (une)	installer
incapable	indiquer	ingénier (s')	instantané, e
incarcérer	indirect, e	ingéniosité (une)	instaurer
incarner	indiscipline	ingénu, e	instinct (un)
incassable	indispensable	ingrat, e	institution (une)
incendie (un)	indistinct, e	ingurgiter	instruction (une)
incertitude (une)	individu (un)	inhabile	instrument (un)
incessant, e	individualité (une)	inhaler	insuccès (un)
inclinaison (une)	indivisible	inhérent, e	insuffisance (une)
inclination (une)	indolence (une)	inhibition (une)	insulaire
inclure	indolore	inhumain, e	insulte (une)
incognito	indubitable	inhumer	intact, e
incohérent, e	induire	inimaginable	intégrité (une)
incolore	indulgence (une)	ininflammable	intelligence (une)
incommunicable	industrie (une)	injure (une)	intenable
incomparable	inédit, e	injustice (une)	intention (une)
incompatible	ineffable	inlassable	intercalaire
incompétent, e	inefficace	inné, e	interdiction (une)
incomplet, ète	inégalité (une)	innocent, e	interdire
incompréhensible	inepte	innommable	intéresser
inconnu, e	inépuisable	innovation (une)	intérêt (un)
inconscience (une)	inerte	inoccupé, e	intérieur, e
inconséquence (une)	inespéré, e	inoffensif, ive	interlocuteur
inconsistant, e	inexact, e	inondation (une)	intermédiaire (un)
incontestable	inexcusable	inopportun, e	intermittent, e
inconvénient (un)	inexistence (une)	inouï, e	international, e
incorporer	inexpérience (une)	inquiétude (une)	interner
incorrect, e	inexprimable	insaisissable	interpeller
incorrigible	infaillible	insalubre	interphone (un)
incorruptible	infâme	insane	interposer
incrédule	infamie (une)	insatisfait, e	interpréter
incroyable	infection (une)	inscrire	interrogation (une)
incruster	inférieur, e	insécurité (une)	interrompre
inculper	infester	insensé, e	interstice (un)
incurable	infidèle	insensible	intervalle (un)
indécent, e	infime	insérer	intervention (une)

interview (une)
intituler
intolérable
intonation (une)
intoxiquer
intraitable
intransigeant, e
intrépide
intriguer
introduction (une)
introversion (une)
intrusion (une)
intuition (une)
inusable
inutile
invaincu, e
invalide
invasion (une)
inventaire (un)
invention (une)
inverse
investir
invincible
involontaire
invoquer
invulnérable
irascible
ironie (une)
irrationnel, elle
irrecevable
irréductible
irréfutable
irrémédiable
irruption (une)
isolation (une)
isolement (un)
*issu, e
*issue (une)
italique
itinérant, e
ivoire (un)
ivresse (une)
ivrognerie (une)

J

jacasser
jadis
jaillir
jaillissement (un)
jalon (un)
jaloux , ouse
jamais
jambe (une)
jambon (un)
japonais, e
japper
jardin (un)
jardiner
jardinet (un)
jargon (un)
jaser
jaunâtre
jaune
jaunisse (une)
javelliser
jazz (un)
jet (un)
jetée (une)
jeton (un)
jeu (un)
jeune
jeûne (un)
joie (une)
joint (un)
joli, e
jonc (un)
joncher
jonction (une)
joue (une)
jouer
jouet (un)
joufflu, e
joug (un)
jouir
joujou (un)
jour (un)
journal (un)
journée (une)
jovialité (une)

joyau (un)
joyeux, euse
jubiler
judiciaire
judicieux , euse
juge (un)
jugeote (une)
juif, ive
juillet
juin
jumeau (un)
jumelles (des)
jupe (une)
jurer
jury (un)
jus (un)
jusque
juste
justesse (une)
justice (une)
justifier
juvénile
juxtaposé, e

K

kaki
kangourou (un)
karaté (un)
képi (un)
kermesse (une)
kilo (un)
kilogramme (un)
kilomètre (un)
kimono (un)
kiosque (un)
klaxon (un)
klaxonner
kyrielle (une)
kyste (un)

L

là-bas
label (un)
labeur (un)
laborieux , euse

labyrinthe (un)
lac (un)
lacer
lacet (un)
lâche
lâcheté (une)
lacune (une)
lagune (une)
laïc, laïque
* laid, e
laideur (une)
laisser
laisser-aller (un)
laissez-passer (un)
* lait (un)
laïus (un)
lame (une)
lamelle (une)
lamenter
lampadaire (un)
lance (une)
lancinant, e
landau (un)
langage (un)
langue (une)
langueur (une)
languir
lanière (une)
lapalissade (une)
laps (un)
larcin (un)
larme (une)
larmoyer
larron (un)
larynx (un)
* las, asse
lascif, ive
lasser
lassitude (une)
latéral, e
latin (un)
latitude (une)
lavabo (un)
laver
lavoir (un)

layette (une)
lécher
lecteur (un)
lecture (une)
légalité (une)
léger, ère
lent, e
lessive (une)
lettre (une)
lever
lexique (un)
liberté (une)
libraire (un)
librairie (une)
libre
licence (une)
licite
lier
liesse (une)
*lieu (un)
*lieue (une)
ligne (une)
ligoter
lilas (un)
limite (une)
limpide
linguiste (un)
liqueur (une)
lire
lisse
liste (une)
lit (un)
litige (un)
littéraire
littérature (une)
*livre (un)
*livre (une)
livrer
location (une)
locomotion (une)
locution (une)
loger
logique
loi (une)
loin

lointain, e
loisir (un)
long, longue
longer
longitude (une)
longtemps
longueur (une)
loquace
lorgner
lorsque
lot (un)
louange (une)
louche (une)
loucher
louer
loufoque
loup (un)
lourd, e
lourdeur (une)
loyauté (une)
lucidité (une)
lueur (une)
luire
lumière (une)
lune (une)
lunette (une)
lunettes (des)
lustrer
luth (un)
lutin (un)
lutter
luxe (un)
lycée (un)
lyncher
lyre (une)
lyrique
lys (un)

M

ma
macabre
macadam (un)
macérer
machin (un)
machine (une)

mâchoire (une)
maçon (un)
madeleine (une)
mafia (une)
magasin (un)
magazine (un)
magie (une)
magistrat (un)
magnétophone (un)
maigre
maille (une)
* main (une)
* maint, e
maintenant
maintenir
maire (un)
* mais
maison (une)
* maître (un)
maîtresse (une)
majesté (une)
majeur, e
majuscule (une)
* mal
* mal (un)
maladie (une)
maladif, ive
malappris, e
malchance (une)
* mâle (un)
maléfice (un)
malentendu (un)
malfamé, e
malgré
malhabile
malheur (un)
malice (une)
malin, maligne
* malle (une)
malléable
malotru, e
malveillance (une)
mammifère (un)
mammouth (un)
manche (une)

manche (un)
mandat (un)
manège (un)
mangeable
manger
maniable
manière (une)
manifestation (une)
manigance (une)
manipuler
manœuvre (une)
manoir (un)
manque (un)
manteau (un)
manuel (un)
manuscrit (un)
maquette (une)
maquillage (un)
maquis (un)
marais (un)
marchand (un)
marché (un)
marcher
* mare (une)
marée (une)
marginal, e
mari (un)
mariage (un)
marmite (une)
marmonner
marmot (un)
marmotte (une)
marotte (une)
marquer
* marre
*marron
*marron (un)
marronnier (un)
marteau (un)
marteler
martyr, e
martyriser
marxisme (un)
masculin, e
massacrer

masse (une)
massif, ive
mass média (un)
mastiquer
match (un)
matelas (un)
matelot (un)
matériel (un)
maternité (une)
mathématique (une)
matière (une)
matin (un)
matinée (une)
matrice (une)
maturité (une)
maudire
maussade
mauvais, e
maximum (un)
mazout (un)
méandre (un)
méchamment
mèche (une)
méconnaître
mécontent, e
médaille (une)
médecin (un)
médecine (une)
médiation (une)
médicament (un)
médiocre
médire
méditer
meeting (un)
méfait (un)
méfier (se)
mégalomane
mégère (une)
mégot (un)
meilleur, e
mélancolie (une)
mélange (un)
mêler
mélodie (une)
même

mémoire (une)
mémoriser
menaçant, e
ménager
mendiant, e
mendier
mener
mensonge (un)
mensualité (une)
mentalité (une)
mention (une)
mentir
*menu, e
*menu (un)
menuisier (un)
méprendre (se)
mépriser
* mer (une)
merci (un)
* mère (une)
mérite (un)
merveille (une)
mesquin, e
messe (une)
mesurer
métal (un)
métamorphose (une)
métaphore (une)
météore (un)
météorologie (une)
méthode (une)
métier (un)
* mètre (un)
métro (un)
* mettre
meubler
meurtre (un)
microbe (un)
microscopique
midi (un)
miel (un)
mieux
mignon, onne
migraine (une)
migration (une)

milice (une)
milieu (un)
mille
millier (un)
million (un)
mime (un)
mimique (une)
mince
mine (une)
miniature (une)
minimum (un)
ministère (un)
ministre (un)
minoritaire
minuit (un)
minuscule
minuscule (une)
minutieux, euse
mirage (un)
miroir (un)
misérable
misère (une)
mission (une)
mi-temps (une)
mitraillette (une)
mixer
mixte
mobile
mode (une)
modèle (un)
modérer
moderne
moelleux, euse
* moi
moindre
moins
* mois (un)
moisi, e
moisissure (une)
moitié (une)
molécule (une)
mollir
moment (un)
monarchie (une)
monastère (un)

monde (un)
monnaie (une)
monnayer
monosyllabe (un)
monter
montre (une)
moquer
moralité (une)
morbide
morceau (un)
morceler
morcellement (un)
mordiller
mordre
morose
* mort, e
mosquée (une)
* mot (un)
motif (un)
motocyclette (une)
motoriser
motricité (une)
mou, molle
moucher
moudre
moufle (une)
mouiller
moulin (un)
mourir
mousse (une)
moustique (un)
mouvement (un)
moyen, enne
muer
muet, ette
mufle (un)
mugir
multicolore
multiplier
municipalité (une)
munir
munition (une)
* mur (un)
* mûr, e
* mûre (une)

mûrir
murmure (un)
muscle (un)
muse (une)
musée (une)
music-hall (un)
musique (une)
mutation (une)
muter
mutiler
mutisme (un)
mutuel, elle
myope
mystère (un)
mythe (un)
mythologie (une)

N

nageoire (une)
naguère
naissance (une)
naître
naïveté (une)
nappe (une)
narcisse (un)
narguer
narquois, e
narration (une)
narrer
nasillard, e
natation (une)
nation (une)
nationalité (une)
nature (une)
naufrage (un)
nauséabond, e
nausée (une)
navigation (une)
naviguer
* né, e
néanmoins
néant (un)
nécessaire
nécessité (une)
négation (une)

négligemment
négligence (une)
négoce (un)
neige (une)
nénuphar (un)
nerf (un)
nervure (une)
net, ette
nettoyer
neuf, euve
neutralité (une)
neutre
neveu (un)
névrose (une)
* nez (un)
* ni
niais, e
* nid (un)
nièce (une)
nier
niveau (un)
noblesse (une)
noce (une)
nocif, ive
nocturne
noël (un)
noix (une)
* nom (un)
nombril (un)
nommément
* non
nonchalance (une)
nonne (une)
normaliser
nostalgie (une)
notaire (un)
note (une)
notion (une)
notoriété (une)
* notre
* nôtre
nouer
nouille (une)
nourri, e
nourrice (une)

nourrisson (un)
nouveau, elle
nouveau-né, e
noyade (une)
noyau (un)
noyer
nu, e
nuancer
nuire
nuit (une)
nul, ulle
nullement
nullité (une)
numéro (un)
numérotation (une)
nuptial, e
nuque (une)
nutrition (une)

O

oasis (une)
obéir
obèse
objectivité (une)
objet (un)
obligatoire
oblique
obscénité (une)
obscurcir
obscurité (une)
obséder
observer
obsession (une)
obstacle (un)
obstiné, e
obtenir
occasion (une)
occident (un)
occlusion (une)
occupant
occupé, e
océan (un)
octave (une)
octroyer
oculiste (un)

odeur (une)
odorat (un)
œil (un)
œillet (un)
œuf (un)
œuvre (une)
offense (une)
office (un)
officiel, elle
offre (une)
oie (une)
oignon (un)
oiseau (un)
oisif, ive
ombrager
ombre (une)
omelette (une)
omission (une)
omnibus (un)
omniprésent, e
omoplate (une)
onde (une)
on-dit (un, des)
ongle (un)
onomatopée (une)
onze
opaque
opéra (un)
opération (une)
opérer
opinion (une)
opportunité (une)
opposer
opposition (une)
oppresser
opprimer
opter
optimisme (un)
option (une)
* or
* or (un)
orbite (une)
orchestre (un)
ordonnance (une)
ordre (un)

ordure (une)
orée (une)
oreille (une)
organe (un)
organisation (une)
orgueil (un)
orient (un)
orientation (une)
orifice (un)
originalité (une)
origine (une)
orphelinat (un)
orteil (un)
orthographe (une)
ortie (une)
os (un)
oscar (un)
osciller
oseille (une)
oser
ossature (une)
ostensible
otage (un)
ôter
* ou
* où
ouate (une)
oubli (un)
oublier
* oui (inv)
ouï-dire (inv)
ouïe (une)
ours (un)
outil (un)
outillage (un)
outrager
ouvert, e
ouverture (une)
ouvrage (un)
ouvre-boîtes (un)
ouvre-bouteilles (un)
ouvrier (un)
ouvrir
ovale (un)
oxydable

oxygène (un)
ozone (un)

P

pacifier
pacte (un)
pagaille (une)
*page (un)
*page (une)
païen, enne
paillasson (un)
paille (une)
paillette (une)
paillotte (une)
* pain (un)
paire (une)
paisible
paix (une)
palace (un)
palais (un)
pâle
paletot (un)
palette (une)
pâleur (une)
* palier (un)
pâlir
palissade (une)
* pallier
palmarès (un)
palme (une)
palper
palpiter
pâmer
pamplemousse (un)
panacée (une)
pancarte (une)
panier (un)
panique (une)
panneau (un)
panoplie (une)
panorama (un)
* panse (une)
* panser
pantalon (un)
pantin (un)

pantomime (une)
pantoufle (une)
pape (un)
paperasse (une)
papier (un)
papoter
pâque (une)
Pâques
paquebot (un)
paquet (un)
* par
parachever
parachute (un)
parade (une)
paradis (un)
paradoxe (un)
parage (un)
paraître
parallèle
paralysie (une)
parapet (un)
parapluie (un)
parasite (un)
parc (un)
parcelle (une)
parce que
parcours (un)
pardessus (un)
pardon (un)
pareil, elle
parent (un)
parenthèse (une)
paresse (une)
parfait, e
parfois
parfum (un)
* pari (un)
Paris
parlement (un)
parler
parlote (une)
parmi
parodie (une)
paroi (une)
paroisse (une)

parole (une)
parquet (un)
parrain (un)
* part (une)
parterre (un)
*parti (un)
participation (une)
particularité (une)
* partie (une)
partir
partout
parution (une)
parvenir
pas (un)
passable
passe (une)
passer
passe-temps (un)
passif, ive
passion (une)
passoire (une)
pasteur (un)
patauger
* pâte (une)
pâté (un)
pâtée (une)
paternité (une)
patience (une)
pâtisserie (une)
patois (un)
patrimoine (un)
patrouiller
* patte (une)
paume (une)
pause (une)
pauvre
paver
pavillon (un)
paye (une)
payer
pays (un)
paysan (un)
péage (un)
peau (une)
pêche (une)

péché (un)
* pécher
* pêcher
pécule (un)
pédagogie (une)
pédale (une)
pédestre
peigne (un)
peine (une)
peintre (un)
peinture (une)
peler
pèlerin (un)
pelle (une)
pelleter
pellicule (une)
peluche (une)
pénaliser
pendant
pendentif (un)
pendre
pendule (une)
pénétrer
pénible
péninsule (une)
pénitence (une)
pénombre (une)
pensée (une)
* penser
pension (une)
pente (une)
pépin (un)
percer
perception (une)
percevoir
percher
perchoir (un)
perdre
perdrix (une)
* père (un)
péremptoire
perfection (une)
perfide
perfusion (une)
péricliter

péril (un)
périmer
période (une)
périr
perle (une)
permanence (une)
permis (un)
perplexité (une)
perron (un)
persécution (une)
persévérer
persister
personne (une)
perspective (une)
perte (une)
pervers, e
peser
pessimisme (un)
pétale (un)
petit, e
pétition (une)
pétrir
pétrole (un)
* peu
peuple (un)
peur (une)
peut-être
* phare (un)
pharmacie (une)
phénomène (un)
philosophe (un)
philtre (un)
phobie (une)
phonétique (une)
phonographe (un)
photocopier
photographie (une)
phrase (une)
physique
piano (un)
pièce (une)
pied (un)
piège (un)
pierre (une)
piéton (un)

pieu (un)
pieux, euse
pigeon (un)
pile (une)
piller
pilule (une)
pincer
pion (un)
piquer
piqûre (une)
pire
pitié (une)
pitoyable
pittoresque
pizza (une)
place (une)
plafond (un)
plaie (une)
plaire
plaisir (un)
plan (un)
plaquer
plastique
plat (un)
platitude (une)
plâtre (un)
plausible
plein, e
pleur (un)
pleuvoir
pli (un)
plier
plomb (un)
plonger
ployer
pluie (une)
plupart (la)
plus
plusieurs
plutôt
pneu (un)
poche (une)
poêle (un)
poêle (une)
* poids (un)

poignée (une)
point (un)
pointu, e
poisson (un)
pôle (un)
police (une)
polir
politesse (une)
politique (une)
polluer
poltron (un)
pommade (une)
pomme (une)
pompe (une)
ponctuation (une)
ponctuer
pondre
pont (un)
populaire
population (une)
* porc (un)
* pore (un)
* port (un)
portail (un)
porte (une)
portefeuille (un)
porter
portion (une)
portrait (un)
* pose (une)
position (une)
posséder
possible
poste (une)
postérieur, e
* pot (un)
pou (un)
pouce (un)
poudre (une)
poulailler (un)
pouls (un)
pour
pourquoi
pourrir
pourtant

pourvu que

pousser

*pouvoir (un)

*pouvoir

pratique

pré (un)

précaution (une)

précédent, e

précepte (un)

précipice (un)

précis, e

précoce

prédire

préface (une)

préférer

préfixe (un)

prélasser

prélever

prélude (un)

premier, ère

prendre

prénom (un)

préoccupation (une)

préparer

préposer

* près

prescrire

présence (une)

presque

presse (une)

prestige (un)

* prêt, e

prétendre

prêter

prétexte (un)

preuve (une)

prévenir

prévoir

prier

prime (une)

principe (un)

printemps (un)

* pris, e

prison (une)

* prix (un)

probablement

problème (un)

procédé (un)

procès-verbal (un)

prochain, e

proche

proclamer

procurer

prodige (un)

prodiguer

production (une)

produire

produit (un)

professeur (un)

profil (un)

profit (un)

profond, e

profondeur (une)

programme (un)

progrès (un)

progresser

proie (une)

projet (un)

proliférer

prolonger

promener

promettre

promouvoir

promulguer

pronom (un)

pronostic (un)

propager

prophète (un)

proportion (une)

propos (un)

propre

propriétaire (un)

proscrire

prostitution (une)

protéger

protester

prothèse (une)

protocole (un)

prototype (un)

proue (une)

prouver

proverbe (un)

provision (une)

provoquer

prudemment

prudence (une)

pseudonyme (un)

psychologie (une)

puanteur (une)

publication (une)

puce (une)

* puis

puisque

puissance (une)

* puits (un)

pulsion (une)

pulvériser

punaise (une)

punir

punition (une)

pupitre (un)

purée (une)

purifier

pyjama (un)

pyramide (une)

Q

quadruple

quai (un)

qualification (une)

qualité (une)

* quand

* quant à/au/aux

quantité (une)

quarante

* quart (un)

quartier (un)

quatorze

quatre

que

* quel, quelle

quelconque

quelquefois

quelqu'un

quémander

quereller

question (une)

questionner

queue (une)

qui

quiconque

quidam (un)

quiétude (une)

quille (une)

quincaillerie (une)

quinzaine (une)

quinze

quiproquo (un)

quitter

quoi

* quoique

* quoi que

quotidien, enne

quotient (un)

R

rabais (un)

rabat (un)

rabattre

raccommoder

raccorder

raccourci (un)

race (une)

racine (une)

raciste

racler

raconter

radar (un)

radier

radio (une)

radis (un)

radoter

rafale (une)

raffiner

raffoler

raffut (un)

rafle (une)

rafraîchir

rage (une)

ragot (un)

ragoût (un)
raideur (une)
raidir
rail (un)
railler
raisin (un)
raison (une)
raisonner
rajeunir
râle (un)
ralenti (un)
rallier
rallumer
ramasser
ramolli, e
rampe (une)
rancœur (une)
rancune (une)
randonnée (une)
rang (un)
ranger
rapidité (une)
rappel (un)
rapport (un)
rare
rarement
* ras, e
* rat (un)
raté, e
râteau (un)
rationalité (une)
rationner
rattraper
ravir
rayer
rayon (un)
réagir
réaliser
réapparaître
rebâtir
rebondir
rebrousser
rébus (un)
rebut (un)
récapituler

récent, e
réception (une)
recevoir
réchauffer
rêche
récidive (une)
réciproque
réclame (une)
recoller
récolte (une)
recommencer
reconduire
reconnaître
reconsidérer
reconstruction (une)
record (un)
recourir
recréer
rectifier
rectiligne
reçu (un)
recueillir
recul (un)
récupérer
recycler
réduire
réel, elle
refaire
réfection (une)
réfléchir
reflet (un)
réflexe (un)
réflexion (une)
réforme (une)
refrain (un)
refroidissement (un)
refus (un)
regard (un)
régime (un)
région (une)
registre (un)
règle (une)
règne (un)
regret (un)
regretter

régulier, ère
rein (un)
reine (une)
rejet (un)
réjouir
relâcher
relais (un)
relation (une)
religion (une)
relire
reliure (une)
remarque (une)
remblai (un)
remblayer
remède (un)
remercier
remettre
remise (une)
remontée (une)
remplacer
remplir
remuer
rémunérer
renaissance (une)
rencontre (une)
rendre
renforcer
renfort (un)
renifler
renom (un)
renoncer
renouveau (un)
rénover
renseignement (un)
rente (une)
rentrer
renverser
renvoi (un)
renvoyer
repaire (un)
répandre
réparation (une)
repentir (un)
répertoire (un)
répit (un)

repli (un)
répondre
réponse (une)
reposer
représentation (une)
reproche (un)
république (une)
réputé, e
requête (une)
rescapé, e
rescousse (une)
réseau (un)
réserve (une)
résidence (une)
résigner
résistance (une)
résister
résolution (une)
résonance (une)
résoudre
respecter
responsabilité (une)
ressemblance (une)
ressort (un)
ressource (une)
restaurant (un)
reste (un)
rester
résultat (un)
résumé (un)
résumer
retard (un)
retentir
retour (un)
rétracter
retraite (une)
rétrécir
rétribuer
rétrograde
rétrospective (une)
rétroviseur (un)
réunion (une)
réussir
rêvasser
réveil (un)

réveille-matin (un)
révélation (une)
revendiquer
revenir
revers (un)
révision (une)
revoir
révolte (une)
révolution (une)
revue (une)
rez-de-chaussée (un)
rhabiller
* rhum (un)
* rhume (un)
ridicule (un)
rien
rigide
rigole (une)
rigueur (une)
rime (une)
rincer
*rire
*rire (un)
risque (un)
rite (un)
rival (un)
rive (une)
rivière (une)
* riz (un)
robe (une)
* roc (un)
* rock (un)
rococo
rôder
roi (un)
roman (un)
rompre
rond, e
rond-point (un)
rosée (une)
rosier (un)
rossignol (un)
rotation (une)
rôtir
roue (une)

rougeâtre
rougir
rouiller
rouler
roulotte (une)
royauté (une)
ruban (un)
rudement
rudiment (un)
rue (une)
ruée (une)
ruine (une)
ruisseau (un)
ruse (une)
rythme (un)
rythmer

S

sa
sable (un)
sabot (un)
sac (un)
saccade (une)
saccager
sachet (un)
sacoche (une)
sacré, e
sacrifice (un)
sadique
sadisme (un)
safran
sage
sagesse (une)
saignant, e
saignée (une)
saignement (un)
* sain, e
* saint, e
saisie (une)
saisir
saisissable
saison (une)
salade (une)
salaire (un)
salarié, e

* sale
salé, e
salière (une)
salir
salive (une)
* salle (une)
salon (un)
saltimbanque (un)
salubre
saluer
salut (un)
samedi (un)
sanctifier
sanctionner
sandale (une)
sandwich (un)
* sang (un)
sang-froid (un)
sanglant, e
sanglier (un)
sanglot (un)
sangloter
sanguin, e
sanitaire
* sans
sans-cœur
sans-façon
sans-le-sou
sans-pareil
sans-souci
saoul, e
saper
sapeur (un)
sapin (un)
sapristi !
sarcasme (un)
sarcastique
sardine (une)
satané, e
satellite (un)
satiété (une)
satin (un)
satire (une)
satisfaisant, e
satisfait, e

saturer
satyre (un)
sauce (une)
saucisse (une)
sauf, auve
sauf
sauf-conduit (un)
saumon (un)
sauna (un)
saupoudrer
* saut (un)
sautiller
sauvage
sauvegarder
sauve-qui-peut
savamment
savant, e
savoir (un)
savoir-vivre (inv)
savon (un)
savourer
saxophone (un)
scandale (un)
* sceau (un)
scélérat, e
sceller
scénario (un)
scène (une)
* sceptique
sceptre
schéma (un)
schisme (un)
scier
* scie (une)
sciemment
science (une)
science-fiction (une)
scolaire
scolarité (une)
scrupule (un)
scruter
scrutin (un)
sculpter
sculpture (une)
se

* seau (un)	sensationnel, le	siffler	sobre
sec, sèche	sensé, e	sifflet (un)	sobriété (une)
sécateur (un)	sensible	siffloter	sobriquet (un)
sécher	sensualité (une)	sigle (un)	sociabilité (une)
sécheresse (une)	sentence (une)	signal (un)	socialisme (un)
second, e	sentiment (un)	signataire (un)	société (une)
secouer	sentinelle (une)	signature (une)	sociologue (un)
secourir	sentir	signe (un)	soda (un)
secours (un)	séparation (une)	signifier	sœur (une)
secousse (une)	séparer	signification (une)	* soi
secrétaire (un)	sept	silence (un)	soi-disant
sectaire	septembre	silhouette (une)	* soie (une)
secte (une)	septennat (un)	sillon (un)	soif (une)
section (une)	septième	sillonner	soigner
sécurisant, e	séquence (une)	similitude (une)	soin (un)
sécurité (une)	* serein, e	simple	soir (un)
sédentaire	sérénité (une)	simplifier	soirée (une)
sédiment (un)	sergent (un)	simpliste	*soit
séduction (une)	série (une)	simulacre (un)	soixante
séduire	sérieux, euse	simuler	sol (un)
segment (un)	* serin (un)	simultané, e	solaire
seigle (un)	serment (un)	simultanéité (une)	soldat (un)
seigneur (un)	sermon (un)	sincère	solde (une)
* sein (un)	serpent (un)	sincérité (une)	soleil (un)
seize	* serre (une)	singe (un)	solennel, elle
séjour (un)	serrer	singulariser	solidaire
sel (un)	serrure (une)	singulier, ère	solidarité (une)
sélection (une)	serviable	sinistre (un)	solide
self-service (un)	service (un)	sinon	solidifier
* selle (une)	serviette (une)	sinuosité (une)	soliloque (un)
seller	servir	* sire (un)	soliste
sellette (une)	servitude (une)	sirène (une)	solitude (une)
selon	* ses	sirop (un)	solo (un)
semaine (une)	* session (une)	site (un)	solstice (un)
semblable	seuil (un)	sitôt	soluble
sembler	seul, e	si tôt	solution (une)
semer	sévère	situation (une)	somatique
semi	sévir	situer	somatiser
semi-voyelle (une)	sexe (un)	six	sombre
semonce (une)	shampooing (un)	sixième	sommaire (un)
* s'en	* si	ski (un)	sommation (une)
sénat (un)	sidérer	skier	somme (une)
sénile	siècle (un)	slogan (un)	sommeil (un)
sens (un)	siège (un)	snob	sommet (un)
sensation (une)	sien, enne	snobisme (un)	somnambule (un)

somnifère (un)
somnolence (une)
somptueux, euse
* son, sa
son (un)
sonate (une)
sondage (un)
songe (un)
sonnant, e
sonnerie (une)
sonnette (une)
sonore
sophistiqué, e
sorbet (un)
sordide
sort (un)
sorte (une)
sortie (une)
sortir
* sot, otte
sottise (une)
* sou (un)
souche (une)
souci (un)
soucoupe (une)
soudain, e
soudoyer
souffler
soufflet (un)
souffrance (une)
souffrir
soufre (un)
souhait (un)
souiller
soulèvement (un)
soulier (un)
souligner
soumettre
soumis, e
soumission (une)
soupçon (un)
soupçonner
soupir (un)
soupirail (un)
souple

souplesse (une)
source (une)
sourcil (un)
sourciller
sourd, e
sourd-muet (un)
sourire (un)
souris (une)
sournois, e
* sous
sous-sol (un)
sous-titre (un)
soustraire
sous-verre (un)
soutenir
soutien (un)
souvenir (un)
souvent
souverain, e
soyeux, euse
spacieux, euse
spaghetti (un)
spasme (un)
spécialité (une)
spécifique
spécimen (un)
spectacle (un)
spectateur (un)
sphère (une)
spirale (une)
spiritualité (une)
splendeur (une)
splendide
spontané, e
sporadique
spore (une)
sport (un)
square (un)
stabiliser
stable
stade (un)
standard (un)
star (une)
station (une)
statique

statue (une)
statuette (une)
statut (une)
star (une)
steppe (une)
stéréo (une)
stéréotype (un)
stérile
stimulation (une)
stocker
stoïque
stop !
stopper
stratagème (un)
stratégie (une)
stress (un)
strict, e
strophe (une)
structure (une)
studio (un)
stupéfaction (une)
stupide
style (un)
subdivision (une)
subir
subitement
subjectif, ive
subjonctif (un)
subjuguer
submerger
subordination (une)
subsistance (une)
substance (une)
substantif (un)
substituer
subterfuge (un)
subtil, e
subvention (une)
subversion (une)
succéder
succès (un)
succession (une)
sucette (une)
sucre (un)
sucrier (un)

sud (un)
suée (une)
sueur (une)
suffire
suffisance (une)
suffixe (un)
suffrage (un)
suggérer
suggestion (une)
suicide (un)
suinter
suite (une)
suivre
sujet (un)
summum (un)
super
superbe
supercherie (une)
supermarché (un)
superficie (une)
superflu, e
supériorité (une)
superstition (une)
suppléance (une)
supplément (un)
supplication (une)
supplice (un)
supplier
support (un)
supposer
suppression (une)
supra
suprématie (une)
suprême
* sur, e
* sur
* sûr, e
suractif, ive
surdité (une)
surenchère (une)
sûreté (une)
surface (une)
surfaire
surgeler
surgir

surhumain, e
sur-le-champ
surlendemain (un)
surmener
surnom (un)
surplus (un)
surprendre
surprise (une)
surréalisme (un)
sursaut (un)
sursis (un)
surtaxe (une)
surtout
surveillance (une)
survenir
survie (une)
survivre
sus
susceptible
susciter
suspecter
suspense (un)
suspension (une)
svelte
syllabe (une)
symbole (un)
symétrie (une)
sympathie (une)
symphonie (une)
symptôme (un)
syncope (une)
syndicat (un)
syndiquer
syntaxe (une)
synthèse (une)
systématique
système (un)

T

ta
tabac (un)
table (une)
tableau (un)
tablée (une)
tablette (une)

tablier (un)
tabou (un)
tabouret (un)
tache (une)
tâche (une)
tacite
taciturne
tact (un)
tactique (une)
taie (une)
tailler
taillis (un)
taire
talent (un)
talus (un)
tambour (un)
tamis (un)
tampon (un)
tandem (un)
tandis que
tangent, e
tangible
tango (un)
tanière (une)
tanner
* tant
tantôt
tapage (un)
tape (une)
tape-à-l'œil
tapis (un)
tapisserie (une)
taquinerie (une)
* tard
* tare (une)
tarif (un)
tarifer
tarissable
tarte (une)
tartine (une)
tas (un)
tâter
tasser
tâtons (à)
tatônner

taudis (un)
taureau (un)
taux (un)
taxe (une)
taxi (un)
technique (une)
technonogie (une)
teindre
* teint (un)
teinture (une)
* tel, elle
télécommande (une)
téléfilm (un)
télégramme (un)
téléphone (un)
télescope (un)
téléviseur (un)
télévision (une)
télex (un)
téméraire
témoignage (un)
témoin (un)
tempérament (un)
température (une)
tempête (une)
temple (un)
temporaire
temps (un)
tenace
ténacité (une)
tendance (une)
tendre
tendresse (une)
ténèbres (des)
teneur (une)
tenir
tennis (un)
ténor (un)
tension (une)
tentacule (un)
tentation (une)
tentative (une)
terme (un)
terminaison (une)
terminus (un)

terme (un)
terne
terrain (un)
terrasse (une)
terre (une)
terrestre
terreur (une)
terrible
terrier (un)
terrifiante, e
terroriser
terrorisme (un)
tertiaire
tertre (un)
tes
tesson (un)
testament (un)
tester
tête (une)
tête-à-tête (un)
téter
tétine (une)
téton (un)
têtu, e
textile (un)
thé (un)
théâtre (un)
théière (une)
thème (un)
théorie (une)
thermostat (un)
thèse (une)
* thon (un)
thym (un)
tic (un)
tiède
tien, enne
tiercé (un)
tiers (un)
tige (une)
tigre (un)
tigresse (une)
tilleul (un)
timbale (une)
timbre (un)

timide

tinter

tir (un)

tirade (une)

tirer

tiroir (un)

tisane (une)

tissage (un)

tissu (un)

titre (un)

tituber

titulariser

toast (un)

* toi

toile (une)

toilette (une)

* toit (un)

toiture (une)

tôle (une)

tolérance (une)

tollé (un)

tomate (une)

tombe (une)

tombeau (un)

* tome (un)

* tomme (une)

* ton

* ton (un)

tonalité (une)

tondre

tonique

tonne (une)

tonneau (un)

tonnerre (un)

tonus (un)

topologie (une)

torchon (un)

tordre

torride

* tort (un)

tortue (une)

torture (une)

tôt

total (un)

touchant, e

touche (une)

touffe (une)

toujours

toupet (un)

tour (un)

tourbe (une)

tourbillon (un)

tourelle (une)

tourisme (un)

tourment (un)

tournage (un)

tournant (un)

tourner

tournoi (un)

tousser

* tout (tous, toute, toutes)

toutefois

tout-petit (un)

* toux (une)

toxique

tracas (un)

tracasser

trace (une)

tract (un)

traction (une)

tradition (une)

traduction (une)

traduire

trafic (un)

tragédie (une)

trahir

trahison (une)

train (un)

traîner

trait (un)

traitement (un)

traître (un)

traîtrise (une)

trajet (un)

tranche (une)

tranquille

tranquillité (une)

transcrire

transférer

transfert (un)

transformer

transgresser

transi, e

transiger

transistor (un)

transit (un)

transition (une)

translucide

transmettre

transmission (une)

transparaître

transparence (une)

transpiration (une)

transport (un)

transposer

transvaser

transversale (une)

trapèze (un)

trappe (une)

traquenard (un)

traumatiser

travail (un)

travers (à)

travers (un)

traversée (une)

travestir

trébucher

treize

tréma (un)

trembler

trembloter

tremper

trentaine (une)

trente

trentième

trépas (un)

trépasser

très

trésor (un)

tressaillir

tressauter

tresser

tréteau (un)

trêve (une)

tri (un)

triangle (un)

tribu (une)

tribunal (un)

tribut (un)

tricher

tricot (un)

trier

trilogie (une)

trimestre (un)

trinité (une)

trio (un)

triomphe (un)

triple (un)

tristesse (une)

troc (un)

trognon (un)

trois

troisième

trois-quarts (un)

trombone (un)

tromper

tromperie (une)

trompette (une)

tronc (un)

tronçon (un)

trône (un)

* trop

trophée (un)

tropique (un)

trop-perçu (un)

troquer

* trot (un)

trotter

trottiner

trottoir (un)

trou (un)

trouble (un)

trouée (une)

troupe (une)

troupeau (un)

trousse (une)

trouvaille (une)

trouver

truand (un)

truc (un)
trucage (un)
truquage (un)
* tu
tuant, e
tube (un)
tuer
tuerie (une)
tuile (une)
tulipe (une)
tulle (un)
tumeur (une)
tumulte (un)
tunique (une)
tunnel (un)
turban (un)
turbot (un)
turbulence (une)
tutelle (une)
tutoiement (un)
tutoyer
tuyau (un)
tuyauterie (une)
twist (un)
type (un)
typique
tyran (un)
tyrannie (une)

U

ultérieur, e
ultimatum (un)
ultime
ultra (un)
ululement (un)
ululer
un, e
unanime
uni, e
unième
uniforme (un)
union (une)
unique
unir
unisexe

unitaire
unité (une)
univers (un)
universalité (une)
universitaire
université (une)
urbain, e
urbanisation (une)
urbanisme (un)
urgence (une)
urgent, e
urne (une)
usage (un)
usager (un)
usé, e
user
usine (une)
ustensile (un)
usuel, elle
usure (une)
usurpation (une)
usurper
utile
utilisable
utilisation (une)
utilité (une)

V

vacances (des)
vacant, e
vacarme
vaccin (un)
vacciner
vache (une)
vacillant, e
vaciller
va-et-vient (un)
vagabond (un)
vague (une)
vaillance (une)
* vain, e
* vain (en)
vaincre
vainqueur (un)
vaisseau (un)

vaisselle (une)
val (un)
valable
valet (un)
valeur (une)
validation (une)
valise (une)
vallée (une)
vallon (un)
valoir
valorisation (une)
valse (une)
vampire (un)
vandale (un)
vanité (une)
vanne (une)
vantail (un)
vantard, e
vantardise (une)
vanter
va-nu-pieds (inv)
vapeur (une)
vaporeux, euse
vaquer
vareuse (une)
variable
variation (une)
variété (une)
vase (une)
vase (un)
vasistas (un)
vassal (un)
vaste
* veau (un)
vedette (une)
végétation (une)
véhémence (une)
véhément, e
véhicule (un)
veille (une)
veillée (une)
veine (une)
velléité (une)
vélo (un)
vélodrome (un)

vélomoteur (un)
velours (un)
vendanger
vendre
vendredi (un)
vendu, e
venger
venir
* vent (un)
vente (une)
ventre (un)
venu, e
vénus (une)
* ver (un)
véracité (une)
verbaliser
verbe (un)
verdâtre
verdeur (une)
verdoyant, e
verdure (une)
verger (un)
verglacer
verglas (un)
véridique
vérification (une)
véritable
vérité (une)
vermeil, elle
vernis (un)
* verre (un)
verrerie (une)
verrou (un)
verrouiller
verrue (une)
* vers (un)
* vers
verser
version (une)
* vert, e
vertige (un)
vertu (une)
verve (une)
vessie (une)
veste (une)

vestibule (un)
vestimentaire
veston (un)
vêtement (un)
vêtir
véto (un)
veuf, euve
vexant, e
vexation (une)
vexer
viable
viaduc (un)
viande (une)
vibration (une)
vibrer
vicieux, euse
victime (une)
victoire (une)
vide
vidéo
vide-ordures (un)
vie (une)
vieil, vieille
vieillard (un)
vieillesse (une)
vierge (une)
vieux, vieille
vif, ive
vigne (une)
vigneron (un)
vignette (une)
vignoble (un)
vigueur (une)
* vil, e
vilain, e
village (un)
* ville (une)
* vin (un)
vinaigre (un)
* vingt
vingtaine (une)
vingtième
violence (une)
violent, e
violer

violon (un)
violoncelle (un)
vipère (une)
virage (un)
virement (un)
virgule (une)
viril, e
virtuel, elle
virtuosité (une)
virus (un)
vis (une)
visa (un)
visage (un)
vis-à-vis (un)
viser
visible
vision (une)
visiter
vison (un)
visser
vitalité (une)
vitamine (une)
vite
vitesse (une)
vitrage (un)
vitrail (un)
vitre (une)
vitrier (un)
vitrine (une)
vivace
vivant, e
vive
vivifiant, e
vivre
vocabulaire (un)
vocation (une)
vociférer
vodka (une)
vœu (un)
vogue (une)
voici, voilà
* voie (une)
voilà
voile (une)
voir

voire
voirie (une)
voisin (un)
voisinage (un)
voiture (une)
* voix (une)
vol (un)
volaille (une)
volant (un)
volcan (un)
volcanique
voler
volet (un)
voleur (un)
voleuse (une)
volontaire (un)
volonté (une)
volontiers
volte-face (une)
voltiger
volume (un)
volupté (une)
vomir
vorace
vos
vote (un)
votre
vôtre
voûter
vouvoyer
voyage (un)
voyageur (un)
voyageuse (une)
voyance (une)
voyelle (une)
voyou (un)
vrac (en)
vrai, e
vraisemblable
vrombissement (un)
*vu, e
*vue (une)
vulgaire
vulgarité (une)
vulnérable

W

wagon (un)
wagonnet (un)
watt (un)
week-end (un)
western (un)
whisky (un)

X

xénophile
xénophobe
xérès (un)

Y

yacht (un)
yaourt (un)
yoga (un)
yucca (un)

Z

zan (un)
zèbre (un)
zèle (un)
zénith (un)
zéphyr (un)
zéro
zeste (un)
zigzag (un)
zigzaguer
zinc (un)
zodiaque (un)
zone (une)
zoo (un)
zoologie (une)
zoom (un)
zouave (un)
zut !

TABLES DE CONJUGAISON

ALLER Part. Prés. : allant, Part. Pas. : allé, Pas Comp. : je suis allé (e).

Indic. Prés.	Imparfait	Pas. Simple	Futur
je vais	j'allais	allai	irai
tu vas	allais	allas	iras
il/elle va	allait	alla	ira
nous allons	allions	allâmes	irons
vous allez	alliez	allâtes	irez
ils/elles vont	allaient	allèrent	iront

Cond. Prés.	Impératif	Subj. Prés.	Subj. Imp.
j'irais		que j'aille	allasse
irais	va	que tu ailles	allasses
irait		qu'il/elle aille	allât
irions	allons	que nous allions	allassions
iriez	allez	que vous alliez	allassiez
iraient		qu'ils/elles aillent	allassent

AVOIR Part. Prés. : ayant, Part. Pas. : eu, Pas. Comp. : j'ai eu.

Indic. Prés.	Imparfait	Pas. Simple	Futur
j'ai	avais	eus	aurai
tu as	avais	eus	auras
il/elle a	avait	eut	aura
nous avons	avions	eûmes	aurons
vous avez	aviez	eûtes	aurez
ils/elles ont	avaient	eurent	auront

Cond. Prés.	Impératif	Subj. Prés.	Subj. Imp.
aurais		que j'aie	eusse
aurais	aie	que tu aies	eusses
aurait		qu'il/elle ait	eût
aurions	ayons	que nous ayons	eussions
auriez	ayez	que vous ayez	eussiez
auraient		qu'ils/elles aient	eussent

TABLES DE CONJUGAISON

CHANTER Part. Prés. : chantant, Part. Pas. : chanté, Pas. Comp. : j'ai chanté.

Indic. Prés	Imparfait	Pas. Simple	Futur
je chante	chantais	chantai	chanterai
tu chantes	chantais	chantas	chanteras
il/elle chante	chantait	chanta	chantera
nous chantons	chantions	chantâmes	chanterons
vous chantez	chantiez	chantâtes	chanterez
ils/elles chantent	chantaient	chantèrent	chanteront

Cond. Prés.	Impératif	Subj. Prés.	Subj. Imp.
chanterais		que je chante	chantasse
chanterais	chante	que tu chantes	chantasses
chanterait		qu'il/elle chante	chantât
chanterions	chantons	que nous chantions	chantassions
chanteriez	chantez	que vous chantiez	chantassiez
chanteraient		qu'ils/elles chantent	chantassent

DEVOIR Part. Prés. : devant, Part. Pas. : dû, Pas. Comp. : j'ai dû.

Indic. Prés.	Imparfait	Pas. Simple	Futur
je dois	devais	dus	devrai
tu dois	devais	dus	devras
il/elle doit	devait	dut	devra
nous devons	devions	dûmes	devrons
vous devez	deviez	dûtes	devrez
ils/elles doivent	devaient	durent	devront

Cond. Prés.	Impératif	Subj. Prés.	Subj. Imp.
devrais		que je doive	dusse
devrais	dois	que tu doives	dusses
devrait		qu'il/elle doive	dût
devrions	devons	que nous devions	dussions
devriez	devez	que vous deviez	dussiez
devraient		qu'ils/elles doivent	dussent

TABLES DE CONJUGAISON

ÊTRE Part. Prés. : étant, Part. Pas. : été, Pas. Comp. : j'ai été.

Indic. Prés	Imparfait	Pas. Simple	Futur
je suis	j'étais	je fus	serai
tu es	étais	fus	seras
il/elle est	était	fut	sera
nous sommes	étions	fûmes	serons
vous êtes	étiez	fûtes	serez
ils/elles sont	étaient	furent	seront

Cond. Prés.	Impératif	Subj. Prés.	Subj. Imp.
serais		que je sois	fusse
serais	sois	que tu sois	fusses
serait		qu'il/elle soit	fût
serions	soyons	que nous soyons	fussions
seriez	soyez	que vous soyez	fussiez
seraient		qu'ils/elles soient	fussent

FAIRE Part. Prés. : faisant, Part. Pas. : fait, Pas. Comp. : j'ai fait.

Indic. Prés.	Imparfait	Pas. Simple	Futur
je fais	faisais	fis	ferai
tu fais	faisais	fis	feras
il/elle fait	faisait	fit	fera
nous faisons	faisions	fîmes	ferons
vous faites	faisiez	fîtes	ferez
ils/elles font	faisaient	firent	feront

Cond. Prés.	Impératif	Subj. Prés.	Subj. Imp.
ferais		que je fasse	fisse
ferais	fais	que tu fasses	fisses
ferait		qu'il/elle fasse	fît
ferions	faisons	que nous fassions	fissions
feriez	faites	que vous fassiez	fissiez
feraient		qu'ils/elles fassent	fissent

TABLES DE CONJUGAISON

FALLOIR Part. Pas. : fallu, Part. Comp. : il a fallu.

Indic. Prés.	Imparfait	Pas. Simple	Futur
il faut	Il fallait	il fallut	il faudra

Cond. Prés.	Impératif	Subj. Prés.	Subj. Imp.
il faudrait	———	qu'il faille	qu'il fallût

FINIR Part. Prés. : finissant, Part. Pas. : fini, Pas. Comp. : j'ai fini.

Indic. Prés.	Imparfait	Pas. Simple	Futur
je finis	finissais	finis	finirai
tu finis	finissais	finis	finiras
il/elle finit	finissait	finit	finira
nous finissons	finissions	finîmes	finirons
vous finissez	finissiez	finîtes	finirez
ils/elles finissent	finissaient	finirent	finiront

Cond. Prés.	Impératif	Subj. Prés.	Subj. Imp.
finirais		que je finisse	finisse
finirais	finis	que tu finisses	finisses
finirait		qu'il/elle finisse	finît
finirions	finissons	que nous finissions	finissions
finiriez	finissez	que vous finissiez	finissiez
finiraient		qu'ils/elles finissent	finissent

TABLES DE CONJUGAISON

POUVOIR Part. Prés. : pouvant, Part. Pas. : pu, Pas. Comp. j'ai pu.

Indic. Prés.	Imparfait	Pas. Simple	Futur
je peux, puis	pouvais	pus	pourrai
tu peux	pouvais	pus	pourras
il/elle peut	pouvait	put	pourra
nous pouvons	pouvions	pûmes	pourrons
vous pouvez	pouviez	pûtes	pourrez
ils/elles peuvent	pouvaient	purent	pourront

Cond. Prés.	Impératif	Subj. Prés.	Subj. Imp.
pourrais		que je puisse	pusse
pourrais		que tu puisses	pusses
pourrait	————	qu'il/elle puisse	pût
pourrions		que nous puissions	pussions
pourriez		que vous puissiez	pussiez
pourraient		qu'ils/elles puissent	pussent

RECEVOIR Part. Prés. : recevant, Part. Pas. : reçu, Pas. Comp. : j'ai reçu.

Indic. Prés	Imparfait	Pas. Simple	Futur
je reçois	recevais	reçus	recevrai
tu reçois	recevais	reçus	recevras
il/elle reçoit	recevait	reçut	recevra
nous recevons	recevions	reçûmes	recevrons
vous recevez	receviez	reçûtes	recevrez
ils/elles reçoivent	recevaient	reçurent	recevront

Cond. Prés.	Impératif	Subj. Prés.	Subj. Imp.
recevrais		que je reçoive	reçusse
recevrais	reçois	que tu reçoives	reçusses
recevrait		qu'il/elle reçoive	reçût
recevrions	recevons	que nous recevions	reçussions
recevriez	recevez	que vous receviez	reçussiez
recevraient		qu'ils/elles reçoivent	reçussent

TABLES DE CONJUGAISON

VENDRE Part. Prés. : vendant, Part. Pas. : vendu, Pas. Comp. : j'ai vendu.

Indic. Prés.	Imparfait	Pas. Simple	Futur
je vends	vendais	vendis	vendrai
tu vends	vendais	vendis	vendras
il/elle vend	vendait	vendit	vendra
nous vendons	vendions	vendîmes	vendrons
vous vendez	vendiez	vendîtes	vendrez
ils/elles vendent	vendaient	vendirent	vendront

Cond. Prés.	Impératif	Subj. Prés.	Subj. Imp.
vendrais		que je vende	vendisse
vendrais	vends	que tu vendes	vendisses
vendrait		qu'il/elle vende	vendît
vendrions	vendons	que nous vendions	vendissions
vendriez	vendez	que vous vendiez	vendissiez
vendraient		qu'ils/elles vendent	vendissent

VENIR Part. Prés. : venant, Part. Pas. : venu, Pas. Comp. : je suis venu (e).

Indic. Prés	Imparfait	Pas. Simple	Futur
je viens	venais	vins	viendrai
tu viens	venais	vins	viendras
il/elle vient	venait	vint	viendra
nous venons	venions	vînmes	viendrons
vous venez	veniez	vîntes	viendrez
ils/elles viennent	venaient	vinrent	viendront

Cond. Prés.	Impératif	Subj. Prés.	Subj. Imp.
viendrais		que je vienne	vinsse
viendrais	viens	que tu viennes	vinsses
viendrait		qu'il/elle vienne	vînt
viendrions	venons	que nous venions	vinssions
viendriez	venez	que vous veniez	vinssiez
viendraient		qu'ils/elles viennent	vinssent

TABLE DES MATIÈRES

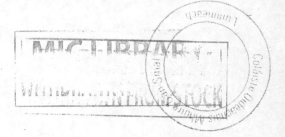

Aubin Imprimeur
LIGUGÉ, POITIERS

Dépôt légal n° 5874-01/90 — Imprimeur n° L 34620
Collection n° 23 — Édition n° 01
Imprimé en France   15/4781/9